거리를 비워두세요

남킹

https://brunch.co.kr/@wonmar

소설가. 남킹 컬렉션 #001 - #444 출간을 목표로 합니다.

스페인 알리칸테 거주.

발 행 | 2024-02-07

저 자 | 남킹

펴낸이 | 한건희

펴낸곳 | 주식회사 부크크

출판사등록 | 2014.07.15(제2014-16호)

주 소 | 서울 금천구 가산디지털1로 119, A동 305호

전 화 | 1670 - 8316

이메일 | info@bookk.co.kr

ISBN | 979-11-410-7089-2

본 책은 브런치 POD 출판물입니다.

https://brunch.co.kr

www.bookk.co.kr

거리를 비워두세요

남킹의 음악 산문

CONTENT

Nils Frahm - Says

Dalida & Alain Delon - Paroles

Kwoon - Great Escape

Archive - Bullets

If It Be Your Will

Rainbow - Rainbow eyes

Ne me quitte pas

Tish Hinojosa - Donde Voy

Big Jet Plane

Metallica-Nothing Else Matter

Dark Eyes

First Six Months of Love

Santana - SmoothBabe I'm Gonna Leave You

Birdy - People Help The People

Cigarettes After Sex - Sweet

Max Richter - Mercy

A Moment Before Happiness

Chopin - Nocturne

The Windmills of Your Mind

조수미 - 나 가거든

마르 데페스에게 이 책을 바칩니다.

남킹 컬렉션

Archive - Again

음악, 상념

낮은 하늘. 적막한 복도.

모두가 사라진 공간에, 여운이 조용히 내려앉는다.

나는 멀어지는 그녀를 물끄러미 쳐다본다. 그리고 천천히, 떨어지지 않는 발걸음을 옮긴다.

창백한 거리. 낙엽이 너절하게 뒹군다.

선명한 아쉬움이 덧없이 길게 걸려있다.

무정형의 경적, 규칙적으로 반짝이는 가로등이 응시하는, 젖은 마음.

나는 처량하게도 어기적거린다.

그리고 그녀 속에 잠들면서, 또는 깨어나면서 했던 생각을 끄집어낸다.

Kwoon - Ayron Norya

음악, 상념

우리는 구름이 다가오는 것을 보았다.

우리 또한, 그 구름 쪽으로 가고 있었다.

호밀이 자라는 들판에 잔물결이 인다.

그리고 그 끝에 닿은 물.

가을의 호수, 그곳은 우리가 떠나기를 서두르는 철새와 하나가 되기를 원하며, 반쯤 열린 덧문에 걸린 쓸쓸함이, 그 회연의 동아줄을 발끝까지 내던지고, 회색빛 석양에 걸터앉은, 헐벗은 가로수를 묶는 침실이었다.

우리는 비스듬히 내리기 시작하는 빗줄기를 바라보았다.

서로에게 비 냄새가 났다.

나의 가을을 함께 보낸 그녀를 보면서, 나는 따스한 슬픔을 느꼈다.

On The Nature Of Daylight

음악, 상념

Max Richter - On The Nature Of Daylight

비가 5번 아우토반을 적신다. 낮이지만 어두운 거리.

나는 무언가에 끌리듯, 그 어두운 공간을 뚫고 간다. 마치 온전한 그리움으로 가는 느낌이다.

비가 창에 톡톡 튀며, 내 곁을 지나 빠르게 흩어진다.

나는 그저 외로움과 그리움에 합당하게 반응한다. 그건 세상이 내게 준 의미이자 비밀스러운 약속이다.

스치는 숲. 바람. 조각구름. 끝을 알 수 없는, 구부러진 길. 완곡의 산을 지나 소담스럽게 마주치는 작은 마을. 벽돌집. 골목과 성당. 카페와 사람. 그리고 추억.

누구든 그리움은 있는 거니까. 너 또한 그리움의 대상일 거야. 그리고 이건 아주 짧게 끝날 거야.

모든 것은 결국 사라지니까.

Life Story

음악, 상념

Ólafur Arnalds & Nils Frahm - Life Story

눈꺼풀도 입술도 달싹할 수 없다.

모든 것은 잠 속에 잠겨 있고, 나 역시 그 속에 빠진다.

시리고 아픈 눈에서 벗어나 혼자서,

낯선 램프 불 밑에서 나누었던 아양과 거드름,

천장에 어룽진 오솔길에 아로새겨진 작별 인사,

방 안 전체를 가르며 이 구석에서 저 구석으로 긴 갈증이 드리운다.

Take Me Somewhere Nice

음악, 상념

Mogwai - Take Me Somewhere Nice

"아침은?" 지나치게 둥글고 짙은 선글라스를 벗으며 그녀가 빤히 쳐다본다. 오후 3시가 넘었다. 홀은 관광객이 흘리고 간 부산함이 떠돈다. 디귿으로 톡 튀어나온 벽에는 길쭉한 그림이 걸려있다. 와트만지에 템페라로 그린 듯 낯설고 몽환답다.

"샌드위치."

"그건 간식이지. 난 밥을…." 여자가 팔짝 뛰며 휴대전화를 보여준다. 화려하지만 무척 작은 양의 요리가 흰 접시에 담겨있다. 사치가 흘러내린다. 포크나 수저로 장식을 부숴, 입에 넣는 행위가 죄스럽다.

"비싸지 않을까?" 마른침이 꼴깍 넘어간다.

"내가 절반 낼게." 앙상한 어깨에 걸친 민어깨 블라우스가 지쳐 보인다.

항상 이런 식이다. 그녀는 제안하고 나는 받는다. 그녀는 검색하고 나는 결과를 본다. 여자는 선택하고 남자는 수긍한다. 여자는 세상에 아직도 하고 싶은 게 너무 많다. 남자는 설득당하는 데 익숙하다.

Blue Eyes Unchanged

음악, 상념

Michelle Gurevich - Blue Eyes Unchanged

"비웃는 거야?" 인간은 놀랍게도 찰나와도 같이 스치는 상대방의 표정을 읽어낸다. 다만 엉뚱하게 해석할 뿐.
"아니, 잠시 다른 생각을 했어."

"무슨?" 입술을 엷게 편다. 이즈음에 생긴 그녀의 버릇. 모든 사진에 똑같은 입술 모양.

"멸망한 지구."

"또, 영화 봤구나!"

"아니, 난 단지 커피나무가 사라진 브라질…." 나의 거짓말.

"제발, 그런 황당한 영화 좀 보지 마!" 인간은 축적된 경험으로 정의한 각자의 상대방을 소유한다. 그는 내가 아니다. 나는 종종 심하게 왜곡한 나를 간직한 지인을 만난다. 그건 고통이다. 그리고 점점 참을 수 없게 된다. 물론 미자가 그렇다는 것은 아니다.

그녀는 무척 사랑스럽다. 좀 별스럽게 진한 화장을 하고 무척 짧고 얇은 옷을 걸친다는 것 빼고는 말이다.

Across from me, on the bus this afternoon

A girl of age ninety, eyes of blue

Peering out from a changed too soon

I saw the girl so charming in her youth

Her hat reveals a women of taste

Now just to get off this bus is a torturous fate

She´ll slowly make the way back to her place

An apartament where no one awaits

Blue eyes unchange

The body aged

Blue eyes you are my last witnesses now

Blue eyes unchange

The body aged

Blue eyes tell me what you wanted to be

When you grew up

Blue eyes once reflected in her mother's gaze

On those summers as a child by the lake

Blue eyes saw love's first embrace

The body down the road

I wonder if he's alive today

Young girls go laughing past on the road

No one pays attention to the old

But at least we know justice will be served

In the end everyone gets their turn

Blue eyes unchange

The body aged

Blue eyes you are my last witnesses now

Blue eyes unchange

The body aged

Blue eyes tell me what you wanted to be

When you grew up

Nothing's Gonna Hurt You Baby

음악, 상념

Cigarettes After Sex - Nothing's Gonna Hurt You Baby

"그런데 포기했어."

"왜?"

"사람들이 좋아하지 않을 거 같아."

"당연하지. 알콩달콩한 사랑 이야기 좀 써!"

"맘마미아 같은?" 미자가 가장 좋아하는 영화.

여자는 이 한 편의 영화로 우울한 사춘기를 마감했다. 왕따로 점철된 지긋지긋한 학창 시절의 종말. 적개심이 사라졌다. 로맨스, 지중해, 뜨거운 태양, 음악, 댄스에 퐁당 빠졌다.

대학 입학과 동시에, 귀밑과 손등에 손톱만 한 문신을 새겼다. 7개의 귀걸이를 하고 하얀 이어폰으로 귓구멍을 틀어막았다. 보온용 옷은, 최소한의 가림 용으로 빠르게 바꿨다. 굽은 올라가고 머리는 물들었다. 테크노에 심취하고 호세쿠엘보 테킬라를 마시며 손등에 바른 소금을 핥았다.

여기까지가 내가 들은 이야기다. 작년 이맘때, 두 번째 데이트에서.

:

Whispered something in your ear

It was a perverted thing to say

But I said it anyway

Made you smile and look away

Nothing's gonna hurt you baby

As long as you're with me, you'll be just fine

Nothing's gonna hurt you baby

Nothing's gonna take you from my side

When we dance in my living room

To that silly '90s R&B

When we have a drink or three

Always ends in a hazy shower scene

Nothing's gonna hurt you baby

As long as you're with me, you'll be just fine

Nothing's gonna hurt you baby

Nothing's gonna take you from my side

And we laugh into the microphone and sing

With our sunglasses on, to our favorite songs

And we're laughing in the microphone and singing

With our sunglasses on, to our favorite songs

Nothing's gonna hurt you baby

Nothing's gonna take you from my side

HVOB - Attention

음악, 상념

미자를 알게 된 건, 다분히 극적이라고 해야겠다. 아침부터 안개처럼 뿌리던 가랑비가 온종일 습한 기운을 실내 구석구석에 흘리고 다니던 날이었다. 락 카페 중앙 홀에 들어선 나는, 맞은편에, 환한 미소를 머금고 앉아있는, 진한 화장을 한 여인을 보았다.

가슴 철렁하게 노출한 의상이었다. 그녀는 연신 깔깔거렸다. 그녀에게는 마치 삶의 내막이 한순간도 감추어지지 않은 듯이 쾌활한 듯 느껴졌다. 이런 여인은 쉽게 잊을 수 없다. 더욱이 나의 연주가 끝나고, 사라져 버린 그녀를 길거리에서 우연히 다시 보게 된다면 말이다.

사람이 많은 거리. 불특정 다수의 주목을 받으며, 그녀는 무심한 하늘을 향해 반듯이 누워 있었다. 누구나 그렇듯이 그런 일은 흔히 보는 일은 아니다. 무릎을 꿇은 남자는, 한 손으로 그녀의 호흡을 보는 듯했지만, 많은 이들이 지켜보는 가운데 행해지는 쑥스러움이 그를 움츠리게 했다.

서투른 행동이 사람들의 비웃음으로 끝날 수 있다는 것을. 그러므로 그는 천천히 뒤로 물러나 인파 속에 흡수되는 선택을 할 수밖에 없는 상황을 애써 꾸며 볼 수 있는 계기가 빨리 오기를 바라는 쪽으로 어정쩡 거리고 만 있었다.

여자의 발끝에 허리를 반쯤 구부린 채 서 있는 동료는, 마치 죄수인 양 홀로, 흐르는 인파가 멈추어 선 도심 한가운데에 초롱초롱한 눈빛으로 일거수일투족을 지켜보는 이들을 지나치게 의식하는 듯 보였다.

나의 행동도 좀 특이했다. 예전 같으면 틀림없이 구경꾼이었다. 애써 궂은일 마다하지 않는 선량한 인간도 아닐뿐더러, 종교에 심취하여 선지자의 말씀대로 하는 인간은 더더욱 아니란 말씀이다. 그냥 요즘 인간의 대세로 떠오른 방관자적 무심론자. 한마디로 회색인.

모든 일에 신경 끔.

나는 대번에 그녀를 알아봤다. 하긴, 누군들 그녀를 한 번이라도 보았다면 기억하지 않을 수 있을까? 지나치게 짙은 화장, 짧은 옷, 문신, 촘촘히 박힌 귀걸이, 붉게 칠 한 입술. 나는 신기하게도 빠른 솜씨로, 뺨을 그녀의 입 근처에 바짝 댔다. 얇은 숨결이 느껴졌다.

'살아있다.' 그리고 머리를 조금 당기며, 한쪽 손은 이마에 놓고 다른 손은 목 뒤에 대 턱을 들어 올렸다. 의식을 잃고 쓰러진 골키퍼를 동료가 응급조치하는 장면을 TV에서 봤다. 쉿 하는 쇳소리가 느껴졌다.

그녀의 얼굴은 지나치게 울퉁불퉁 부었다. 홀에서 본 깔깔거리는 모습이 도저히 연상되지 않았다.

"땅콩 알레르기가 있어요." 그녀가 내게 건넨 첫마디였다. 지저분한 락 카페 입구. 지하로 이어지는 계단에 그녀는 어정쩡한 미소를 머금고 있었다. 370m 거리의 응급실까지 업고 간 은인에 대한 감사의 미소. 아직 붓기는 남아 있다. 비대칭으로 갈라지는 입술.

"많이 좋아진 것 같네요."
"네, 덕분에. 재료에 아몬드 대신 값싼 땅콩을 몰래 넣는 식당이 있거든요. 어제처럼."

"아 그, 인도 전통 식당이라는 곳?"

"네, 심할 땐 정신이 아득해지고 마비가 되죠. 어제처럼." 마치 남 일인 듯 말한다.

"공연 스케줄 좀 적어 주세요. 자주 찾아올게요." 이런! 일정표 같은, 그런 사치스러운 게 있을 리가 있나! 대타로 잠시 한 거뿐인데. 그것도 한가한 이른 저녁 시간에.

"전 주로 길에서 연주합니다. 쓰러진 곳 바로 그 근처에서요."

Only you know what it's worth to move alone
We have to fight
It was easier giving up the ghost
We have to fight

Forget it once and for all
Showed it to ones who see
Forget it once and for all

Showed it for all

All the ones who see

Yiruma - River Flows in You

음악, 상념

"그 주소에 파킹하고 한 15분 걸으면 된대. 사진빨이 죽여줘." 그녀가 추종하는 <까페꾼08>님의 지침. 변함없는 푸른 하늘. 세찬 바람. 한적한 도로, 꾸불꾸불한 길. 나무와 바람, 여자. 내가 바라는 모든 것.

제주도에 오기 전 나는 결론을 냈다. 나의 본능에 따라 여자를 찾고, 나의 철학에 따라 녹색 잎과 푸른 하늘, 바다만 바라볼 것.

모든 것은 바람 속의 먼지. Everything is dust in the wind.

"사유지라서 쫓겨날 수도 있다는 데…. 쓰릴있지않어? 누군가가 자신만을 위한 공간을 훔쳐본다는 게." 좁은 길옆. 차 2대 정도 될 수 있는 공간이 나왔다. 살짝 난감한 기분. 고독을 즐기는 주인이 금방이라도 달려 나올 듯하다.
"카페에 큰 주차장 있던데 굳이 여기에?"
"바보야! 사진빨이 죽여줘!"

스티브 잡스가 펼쳐 놓은 이상한 현대인의 여가생활.

Behaviors Of the Photo, By the Photo, For the Photo. 사진의, 사진에 의한, 사진을 위한 행위들.

"게다가 곧 폐쇄된대. 주인이 되게 까칠한가 봐." 당연하지. 나를 위한 공간에 누군가 끊임없이 침범한다면, 나라도 당장 담장을 세우지. 우리는 개찰구 같은 느낌의 울창한 관목 숲을 조심스럽게 빠져나왔다. 구불구불하고 몹시 가파른 좁은 길로 돌담이 둘러친 묘지도 지났다. 바짓가랑이에 쐐기풀이 사각거린다.

바위 한편을 가득 채운 백리향 냄새가 쏠쏠하다. 신선한 바람에 묻은 달콤한 이끼 냄새도 피어난다. 아담한 폐허가 보인다. 들보가 떨어져 내려 금방이라도 무너져 내릴 듯 위태롭다. 나는 미자의 손을 꼭 잡고 천천히 풀숲을 지나갔다.

"오, 예!" 미자는 은은한 보랏빛으로 물든 뜰에 걸음을 멈추었다. 누군가 정성스레 잘도 꾸며 놓았다. 흰색과 보라색, 연분홍과 표현할 수 없는 색의 수국이 여러 뭉치로 폈다. 빨간 실핏줄이 선명한 달맞이꽃도 나란히 피었다.

여자는 잠시 주위를 살피더니 이내 포즈를 잡기 시작했다. 나는 휴대폰을 가로로 눕혀 연신 셔터를 눌렀다. 행복이 몰려온다. 그녀는 찍은 사진을 빠른 손놀림으로 확인한다.

"우이, 너무 밝아." 여자는 사진 편집 앱을 띄우고 재빠른 솜씨로 교정을 시작한다. 사진 보정술의 대가. 10초도 안 되어 그럴싸한 작품이 나왔다. 감탄이 터져 나온다. 여자는 이제 SNS에 잽싸게 업로드한다. '카페 Dionysus 근처. 비밀의 정원.'

미자의 인스타그램에는, 분홍빛이 한바탕 오름을 뒤덮은 세상을 배경으로 허수아비 차림의 모습에서부터, 억새의 꽃송이가 하얗게 핀 언덕에 파묻혀 빨간 입술을 쭉 내민 모습까지, 모두 2,798개의 사진이 등록되어 있다. 아주 가치 있는 일과 전혀 소용없는 것이 혼재한다.

나는 그녀 곁에서, 따스한 봄날 공기에서 느껴지던 다채로운 향에
취한다. 사유는 낙관적인 삶 속에 멈추고, 깎아 앉힌 것처럼 하늘에
박힌 구름은 태평을 속삭인다. 깍지를 꼈던 손이 풀린다.

Affection

음악, 상념

거리를 비워두세요

Cigarettes After Sex - Affection

카페는 온통 하얀색이다.

복제한 큐비즘 미술이 각 벽면에 적어도 2개씩은 걸려있다. 그리고
모든 메뉴가 아주 비싸다. 조그만 사금파리가 흐드러지게 널려있다.
발밑이 반짝인다. 흡연석은 없다. 여자는 창가, 햇빛이 가늘게 스며
드는 곳에 앉는다. 나의 맞은편에 녹색 호수가 내다보인다. 월계수꽃
이 조명에 탐스럽게 익었다.

"커피 향이 괜찮은데?"
"???" 내게 물은 건지 아니면 자기 생각을 얘기한 건지 모호하다.

"뉴욕에서 맡아본 향이야." 자기 생각이다.

여자는 뉴욕에서 딱 한 달 살았다. 한국으로 오기 전, 아니 정확히 말하자면 한국으로 쫓겨나기 전, 3년 동안 조금씩 저축한 돈을 한 달 동안 다 쓰고 돌아왔다. 물론 많은 돈은 아니었다. 외국에서 한 달 동안 조금 풍족하게 살 정도. 적당한 쇼핑과 숙식, 커피값 정도.

그녀의 3년은 이 한 달로 압축되었다. 세 번째 데이트부터 지금까지 줄곧, 그녀는 뉴욕에서 보낸 한 달이 마치 어제 일인 듯 생생하게 묘사한다. 그 외의 모든 기억은 어슴푸레하거나 그림자 속에 쌓였다. 아니면 감추는 건가? 아니면 일상이 너무 똑같은 걸까?

출근, 퇴근, 먹고 자고 싸고. 또 출근, 퇴근, 먹고 자고 싸고. 지금의 일상을 보면 쉽게 유추가 된다. 일주일에 단 하루, 쉬는 날을 빼면 말이다. 그러므로 그녀의 일주일은 하루로 압축된다.

오늘처럼.

그녀는 어깨에 걸친 봄 코트의 무게가 느껴진 듯, 소매를 빼려고 일어서고, 나는 주문을 하러 일어선다.

"케이크 한 조각도!" 여자의 저녁.

초등학교 6학년 때부터 시작된 고약한 버릇. 조금 통통했던 그녀는 연예인 병에 빠졌다. 거식증으로 정신병원에도 들락거렸다. 소라 통 같은 병실에 갇혀 알 수 없는 약에 취해 종일 손바닥만 한 창을 들여다보기도 하였다. 지금은 많이 좋아진 편이란다. 손톱만 한 빵조각 하나로 하루를 버틴 시절이 있었다.

나는 앙상한 그녀의 손마디를 만질 때면 절망을 느끼곤 한다. 이유는 모르겠다. 그냥 그렇다.

오래전에 본 책에 이런 글귀가 있었지?
'나는 살 수 있다. 절망하였으므로.' '나는 할 수 있다'였나?

나는 그녀의 비타민 C 공급을 위해 샐러드를 추가했다.

Apocalypse

음악, 상념

Cigarettes After Sex - Apocalypse

"천일홍이 변하지 않는 사랑 이래." 나는 도자기 같은 커피 컵과 케이크 조각, 샐러드를 그녀 앞에 놓았다. 통통한 보라색 꽃이 눈설다. 벽걸이 액자에는 하늘하늘 힘없이 팔랑이는 코스모스가 애처롭다.

<Cigarettes After Sex>의 <Apocalypse>가 흐른다. 지나치게 달짝지근하다. 베이스의 강약에 따라 진동이 느껴진다.

> Got the music in you baby,
> Tell me why
> You've been locked in here forever & you just can't say goodbye

미자는 좀 순진한 면이 있다. 그녀는 하느님을 믿지 않으면서도 죄를 지으면 신에게 벌을 받을 것이라는 막연한 두려움을 지녔다. 그러면서 숫자 4나 혹은 13과 같은 것을 싫어하는 미신을 지녔고, 놀랍게도 점쟁이에게 찾아가 돈을 주고 거짓 예언을 귀담아듣곤 한다. 하지만 그래서 내가 싫어하는 것은 결코 아니다.

오히려 나는 그래서 좋아한다. 지나치게 깊이가 있거나 사려 깊고 점잖은 인간은 같이 하기가 힘들기 때문이다. 우리가 늘 얘기하는 <인간적인>이라는 말에는 따스한 마음과 동시에 약간의 단순함도

깃들어 있기 마련이다.

"그런 걸 믿어?" 게시판에 붙은 메모지 한 장이 떨어질 듯 달싹거린다. 마을에는 복사꽃이 노을처럼 퍼졌다.

여자는 커피 한 모금을 입에 넣고 웅얼거린다. 바리스타 같은 모습. 그러더니 꿀꺽 삼키고 나를 뚫어질 듯 쳐다본다. 영화 <봄날은 간다>에서 남자 주인공이 이렇게 말했지.

'어떻게 사랑이 변하니?' 이 세상에서 가장 멍청한 대사. 이렇게 물어야지.
'어떻게 사랑이 안 변하니?'

"여기 커피 아주 좋아!" 여자의 엄지손가락이 정신없이 춤을 춘다. 그녀의 팔로워를 위한 친절한 안내문. 그녀는 벅찬 마음으로 마침표를 찍고 확인 버튼을 누른다. 지금, 이 순간 그녀의 삶은 축제다.

솜털 같은 하얀 털이 홀에 가득 내리는 상상을 한다.

Two Hearts, Four Eyes

음악, 상념

Cold War - Two Hearts, Four Eyes

"케잌도 아주 맛있네. 한 번 먹어봐." 미자는 짙은 색의 입술을 오물거린다. 그녀는 접시를 내게 살짝 내밀며 눈을 동그랗게 뜬다. 그리고 천천히 내게로 몸을 기댄다. 턱 아래를 받을 듯이 바싹 다가와서 속삭인다.

"다음 주에 파리행 비행기 예약할 거야. 너에게만 말하지만."

"그럼 파리에서 또 한 달?" 가시가 돋친 말. 무엇에 씐 것처럼 그냥 말이 툭 튀어나왔다.

여자는 애써 모은 얼마 되지 않는 돈을 펑펑 다 쓰고 돌아올 것이다. 뉴욕에서처럼. 여자는 조각 난 셀러리에 포크를 찍어 천천히 돌린다. 꽃무늬 사기잔이 예쁘다.

"그럼 네가 행복하게 해 주던가." 눈이 텅 비었다. 나는 변명거리를 찾는다. 마음속에 이는 요동. 옴짝달싹할 수 없는 신세.

나는 미천하다. 감히 여자를 묶어 둘 능력이 없다. 그 사실을 서른에 깨달았다. 일 년 새 3개의 회사를 옮겨 다니고 제주도로 그냥 왔다. 음악이나 소설 따위는 그냥 핑계다.

나는 게으르다. 주방 입구를 장식한 레드벨벳이 거슬린다. 나는 진작 깨달았다. 우리 사회의 대부분을 차지하는 가난한 인간들이, 삶이 끝날 즈음에야 깨닫게 되는 것을 말이다.

왜 나는 제주도로 도망치듯 왔는가? 이곳을 밖의 세상으로 기억하는가? 나의 의지는 미약하고 그만큼 외부로 향한 불안한 탈출은 언제나 원점으로 회귀하곤 하였다. 내가 어디에 머물던 그 물리적 가치에 중심을 쏟는 일은 없기 때문이다.

나는 변방이고 변방에 있다고 그 변방이 외부의 중심으로 다가서지는 않는 것이다. 나는 언제나 슬픔과 무기력, 걱정과 고정관념 그리고 자학이 뒤섞인 혼란 상태로 머물렀다.

"서로를 옭아매게 될 거야. 결국에는…." 마음이 회오리친다.

나는 포켓 속에서 담배를 더듬어 꺼낸다. 끝이 지저분하게 너덜너덜한 담배. 조심스레 펴서 불을 붙인다. 여자의 잇새에 아스파라거스 조각이 끼었다. 어지간히 익어버린 체념.

나는 체념한다. 고로 존재한다. I give up, therefore I am.

"그렇겠지?" 여자의 음성이 신기하게 들떴다. 아담한 입술이 섬뜩할 정도로 아리따운 여인. 순간 이런 생각이 들었다. 결국, 나는 미자가 거쳐 간 과거의 흔적에, 잠시 머물던 추억에만 존재할 것이다. 해말 간 얼굴의 여자 셋이 옆자리를 차지했다.

나는 왜 야심이 끓어오르는 현대인이 되지 못한 걸까?

Keep the Streets Empty for Me

음악, 상념

Fever Ray - Keep the Streets Empty for Me

돈이 아닌, 애정으로 매달렸던 모든 직업에서, 어떤 순간이, 즉 다가오는 시간이 아무것도 아닌 것으로 이끌려가는 듯 보이는 순간이 찾아온다. 나는 대부분을 길에서 보낸다. 섬에서 가장 번화한 곳. 온갖 젊은이들이 몰려드는, 500m도 안 되는 지극히 짧은 거리.

그들이 던져 놓고 간 동전은 일종의 감사 헌금이다. 하루를 더 산 대가치곤 꽤 쏠쏠하기도 하다. 인생은 한 번 뿐이라는 사실에 안도감이 든다. 결국, 아무것도 아님.

나는 아무래도 괜찮다. 나는 기타가 내는 음색의 향연에 부풀어, 감정의 골짜기에서 그저 헤매듯 취해있으면, 오줌 냄새에 찌든 홀에서, 술 취한 관객 몇이 빈정거리거나, 모퉁이 광장에서 코흘리개 어린이 몇몇 앉혀놓고 코믹한 연주를 하던, 그저 상관이 없다는 뜻이다.

모든 것은 사라진다. 모든 예술은 사라진다. 모든 인간은 사라진다.

모든 것은 다 사라진다. 당신이 하는 이 모든 행위는 흔적도 없이 다 사라진다. 그게 진리다.

가끔 멍청한 녀석들이 만 원짜리 지폐를 던져주곤 한다. 정돈되지 않고 추하고 안정되지 않은, 소음에 가까운 나의 연주에 무슨 심오한 예술작품 대하듯 한다. 물론 그들은 던져 준 금액만큼의 보상을 받는다. 내가 주는 것이 아니라, 원래 사람이 그렇게 만들어진 것이다.

무엇인가에 기부한다는 선량한 마음 말이다. 그가 온갖 범죄를 저지른 악한일지라도, 돈을 툭 던져주는 행위를 하는 그 순간만큼은 선한 기분이 들고, 그러한 마음은 항상 즐겁기 마련이다.

Memory comes when memory′s old
I am never the first to know
Following the stream up North
Where do people like us float

There is room in my lap

For bruises, asses, handclaps

I will never disappear

For forever, I'll be here

Whispering

Morning, keep the streets empty for me

Morning, keep the streets empty for me

I'm laying down, eating snow

My fur is hot, my tongue is cold

On a bed of spider web

I think of how to change myself

A lot of hope in a one man tent

There's no room for innocence

So take me home before the storm

Velvet mites will keep us warm

Whispering

Morning, keep the streets empty for me

Morning, keep the streets empty for me

Whispering

Morning, keep the streets empty for me

Morning, keep the streets empty for me

Uncover our heads and reveal our souls

We were hungry before we were born

Uncover our heads and reveal our souls
We were hungry before we were born
Uncover our heads and reveal our souls
We were hungry before we were born
Uncover our heads and reveal our souls
We were hungry before we were born

Happiness Does Not Wait

음악, 상념

Ólafur Arnalds - Happiness Does Not Wait

집으로 올라가는 길. 좁고 울퉁불퉁한 놀이터가 눈에 들어왔다. 놀이터 경계를 가르던 마로니에 나무는 작년에 베어지고 밑동만 남았다. 마로니에 열매를 밤인 줄 알고 먹고 응급실에 실려 가는 경우가 해마다 발생하자, 어느 날 구청 직원이 나와 잘라버렸다.

이제 봄을 채우던 탐스러운 분홍빛 꽃은 순전히 기억으로만 남아 있다. 나의 한 손에는 미자의 오른손이, 다른 손에는 라면과 달걀, 파와 햄이 든 검은 봉지가 들려있다.

통장의 잔액이 바닥을 드러냈을 때, 나는 비로소 어정쩡한 아이템 구매와 불필요한 소비에 냉담해질 수 있었다. 꾀죄죄하고 낡은 건물들이 삐쭉하게 들어선 낮은 언덕을 오르며, 나는 텅 빈 하늘에서 쏟아지는 무척 가늘어진 햇빛을 모두 받고 있다.

지독한 황사가 물러가자 더위가 찾아왔다. 헐떡거리는 목덜미에 땀이 배어 나온다. 얇고 헐렁한, 목이 파인 겨자색 반소매 셔츠에서 쉰내가 올라왔다.

"제발 집 좀 옮기자!" 여자가 헐떡거렸다. 굵은 땀방울이 얼굴에 파다하게 송골송골 맺혔다.

방안의 모습은 어제와 다름없다. 당연하게도. 펄럭거리는 하얀 커튼 사이로 마지막 빛이 춤춘다. 춤추는 건 미자의 담배 연기도 있다. 그녀는 가느다란 담배 끝을 위태롭게 잡고 연기를 창으로 훅 뿜었다. 몽글한 구름이 삐죽 열린 창을 들이박는다.

늦은 오후가 그녀의 창백한 얼굴에 걸터앉았다. 내가 이불을 개어 한쪽 끝에 두자 그녀는 창을 닫았다. 담배를 비벼 끄고 출렁이는 침대에 걸터앉은 그녀는 나를 힐끗 쳐다본다.

"도대체 언제까지 라면으로 때울 거야?" 그녀의 질문에 나는 말없이 바라보기만 한다. 노란색 하트가 새겨진 헐렁한 셔츠 사이로 젖꼭지가 봉긋하다. 여자는 책상 구석에 놓인 영양제를 발견한다. 그리고 짙은 갈색 병을 들어 양을 조사한다.

"그동안 오메가 3 하나도 안 먹었네. 어휴! 챙겨줘도 소용없다니까!"
그녀의 선물이다. 여자는 뚜껑을 열고 두툼한 캡슐 2개를 손가락으로 꺼내 꼴깍 삼키고 생수를 한 모금 마신다.

"나라도 먹어야지." 여자는 약을 좋아한다. 무엇이든 보이면 닥치는 대로 삼키고 본다. 그녀는 백에서 스프레이를 꺼내 입속에 칙칙 뿌리고는 입맛을 쩝쩝 다셨다. 나는 눈만 뜬 채 물끄러미 쳐다본다. 어디선가 기분 좋은 냄새가 난다. 나는 코를 벌름거리며 그녀의 체취에 취한 듯 눈을 가늘게 뜬다. 나의 대답은 늘 한결같다.
"반듯한 원룸으로 옮길 때까지."
"뭐?"
"아, 라면."

Ólafur Arnalds - Near Light

음악, 상념

"살이 좀 빠졌네." 찬찬히 살펴본 그녀가 내린 결론이다. 미자는 미친한 나를 지긋한 눈으로 바라보는 것 외에는 그다지 관심을 기울이지 않는다. 한 달 후에 만나던, 계절이 바뀐 뒤에 만나던, 그녀는 내 얼굴에 스쳐 간 시간이 보여주는 피곤함과 핏발, 부스럼, 엉클어진 머릿결, 눈에 붙은 눈곱, 코털, 여드름 자국, 까맣게 탄 이마, 비딱한 앞니들에 시선을 모으곤 한다.

"영양가 있는 거 한 번씩 사 먹고 그래." 그녀는 미간을 찌푸리고 나의 눈곱을 떼면서 중얼거린다. 그녀의 입에서 생선 비린내가 난다. 나는 라면과 달걀, 파와 햄에 길든 코를 들고 다닌다. 그 외의 모든, 입이 보내는 신호에 뇌는 음식이라는 정의를 시큰둥하게 내리곤 한다.

나의 본능은 마젠타 입술을 찾는다. 커피, 고등어, 침, 루주 냄새가 섞인 향이 그녀의 새큰거리는 콧바람을 수식한다. 미자는 나를 생각하는 유일한 인간이다. 이빨이 딱하고 부딪힌다. 감정의 격앙이 밀려온다. 미자는 다르다.

그녀는 나의 절망적 상황과 나 자신은 거의 개의치 않는 빈곤에 마음을 쓴다. 내 안의 고통은 세상 사람들처럼 그다지 드러나지 않기 마련이다. 무심함은 널리 퍼져있다. 그들이 받는 찰나와도 같은 내면의 불편함을, 사람들은 이제 부풀리거나 축소하지 않는다.

"자고 갈 거지?" 나의 질문에 그녀는 침대에서 펄쩍 뛰더니 가방을 뒤진다.

"짜잔!" 그녀는 양손에 뜯지 않은 콘돔 상자를 들고 있다. 형광 불빛에 반짝인다.

"마침내?"

"마침내!"

이제 상황은 진득한 육체적 본능으로 이어질 것이다. 무엇에 빠지는 것이다. 모든 인간처럼. 절정을 향한 격렬한 운동을 시작할 것이다. 이 점이 바로 잘 알려진, 죄스러움과 성스러움의 교차지점이라는 것이고, 오늘날 아주 특이하게 전파된 육체적 사랑이라고 비아냥거리는 것조차 그 본질은, 숭고함의 확장에 삶의 진정한 목적을 연계하는 단순 논리일 뿐이다. 무엇이 두려운가? 무엇이 더럽고 무엇이 부끄럽고 무엇을 숨겨야만 하는가?

모든 섹스는 아름답다. 당연하게도.

Yumeji's Theme

음악, 상념

Shigeru Umebayashi - Yumeji's Theme (In The Mood For Love OST)

"너무 외설적이지만 감정이 풍부한 거 같아." 그녀는 딱 한 번 나의 노래를 평가한 적이 있다. 서 있기도 힘든 만큼 술을 마신 날. 그녀의 눈은 어느새 축축한 자국이 말랐고, 일그러진 얼굴이 지어내는 슬픔에 찬 고통이 사랑스럽게 느껴지던 날이었다. 나는 기타 줄을 뜯을 듯이 할퀴며, 엉덩이를 빙글빙글 돌리며 연주를 했다.

내 음악은 나만큼이나 어중간하다. 심오하지도 가볍지도 않고 대중적이거나 극소수 마니아를 위한 것도 아니다. 사운드는 알 수 없는 순간 치솟다가 어느새 꺼지며 음정은 탁하고 목소리는 답답하다. 나는 항상 내가 녹음한 음성을 들으며 타인을 떠올린다. 녹음된 나의 목소리는 지나치게 소심하다.

나는 그냥 내 삶을 받아들인다. 내 음악은 창작이라는 괴로움과 고통의 산물이 아니라, 그저 시간을 보내기 위한 용도에 적합하다.

"외설적이라는 표현이 멋있는데!" 그녀는 내 등에 찰싹 올라타며 깔 깔거렸다. 빈약한 가슴이지만 따스함이 물컹거렸다.

"홀에서 발가벗고 연주할까?"

"그건 외설이 아니라 공해지!" 미자는 숨이 넘어갈 듯이 웃어 젖힌 다. 여자의 뽀송뽀송하고 꼬불꼬불한 털이 간지럽다. 털 없는 피부. 말랑말랑한 젖. 소리가 방을 채운다. 여자의 입. 나의 콧구멍에서 터 지는 거친 호흡. 미끈한 액체가 사타구니를 타고 흐른다. 젖은 수건 이 바닥에 떨어진다.

굵은 땀방울.

하지만 모든 쾌락은 끔찍하게 짧다. 긴 불행은, 단 한순간만 살아있 음의 기쁨을 허락한다. 헐떡거리는 미자의 배에서 지린내가 올라온 다.

"라면 먹자 우리!" 바라던 말. 여자는 먹는 것에 지나치게 초연하다.

아무튼, 라면이라도 먹여야 한다. 나는 늘어진 육체를 질질 끌고 냄비에 물을 붓는다. 성기와 이마를 수건으로 닦는다. 가스레인지에 냄비를 올리고 불을 켠다. 딱딱딱딱. 검은 봉지에 삐져나온 파. 다정하게 소곤거리는 달걀들. 햄을 따고 냉장고를 열어 유일한 음식, 김치를 꺼낸다.

텅 빈 흰색 공간. 차가운 쉰내.

여자는 라면을 겨우 두 젓가락 뜨고는 김칫국물만 홀짝거렸다. 나는 라면 국물까지 쭉 다 마셨다. 바닥에 붙은 파 조각을 손가락으로 집어 입에 쏙 넣었다. 성욕과 식욕. 이제 수면욕이 다음이다. 줄담배를 피우고 토렌트에서 내려받은 영화를 여자가 고른다.

"어휴, 전부 깐느구만." 미자는 이상하거나 지겹거나 비딱한 영화는 전부 <깐느>로 규정한다. 결국 <화양연화>를 고른다. 세 번도 더 본 영화. 여자는 주제곡과 여주인공의 의상에 매료되었다.

"조금 보다 잘 거야." 여자는 가방에서 커피 캡슐을 꺼내 머신에 집어넣고 작은 컵 모양의 버튼을 누른다. 기계가 떠는소리를 토하더니 거품 섞인 액을 쏟아 낸다. 나를 위한 에스프레소. 여자는 다른 캡슐을 꺼내 큰 컵 모양의 버튼을 누른다.

역시 아메리카노.

재떨이에 꽁초 3개가 추가되었다. 12시 7분. 여자가 잠들었다. <Yumeji's Theme>가 흘렀다. 국수 통을 든 치파오 차림의 장만옥 이 느린 동작으로 걷는 장면에서, 나는 여자가 잠든 걸 깨달았다.

Kwoon - Swan

음악, 상념

파도 소리에 잠을 깬다. 5시 10분. 50분 남았다. 그녀의 수면 시간. 늘 그렇듯 턱없이 부족한 시간. 아침은 더럽게 짧다. 인생은 찰나다. 구름이 끼고 칠흑같이 새까만 하늘. 여자를 깨우기가 정말 싫다. 그 냥 까무룩 잠들고 싶다. 이마를 덮은, 수국처럼 빨갛게 핀 여드름. 아픔의 기슭 사이를 허우적거리는 영혼들. 벌컥벌컥 불쌍함이 새어 나온다. 여자는 가벼운 경범죄 몇 번에 미국에서 강제 출국을 당했 다.

잠바를 걸치고 조심스레 문을 연다. 전구 불빛에 어둑한 마당 사이 로 게 한 마리가 서성거린다. 인기척에 놀란 듯, 나일론 덮개 속으로 숨는다. 하늘 귀퉁이, 붉은색 하늘이 번진다.

여섯 시를 넘기고 1분이 지난 즈음, 나는 마음을 거세게 잡고 여자 를 깨운다. 세 번의 흔들거림에 그녀가 돌아왔다. 단정하게 앞으로 향한 무표정한 얼굴이 창백하다. 여자는 앞으로 6일 동안, 화장 없 이 지낼 것이다. 하얀 유니폼과 연푸른 앞치마, 연녹색 두건을 쓰고 주방과 손님, 화장실 사이를 미소와 함께 오고 갈 것이다.

오후 5시가 되면 나는 그녀가 있는 식당으로 향한다. 파도 소리와 바람, 구부정한 소나무 사이로 굽이굽이 좁은 길을 돌면 나타나는 하얗게 치장한 아담한 곳. 가장 한가한 시간. 나는 식탁에서 그녀를 눈으로 찾고 살금살금 훔쳐볼 것이다. 마젠타 입술이 사라진 그녀는 양순하고 야리야리하고 고분고분하다. 미소가 떠나지 않고 친절하다. 나에게 그녀는 차가우면서도 따스하고, 까끌까끌하면서도 부드럽다.

미자와 모텔에서 사흘을 내리 보낸 적이 있다. 은행 잔고가 0으로 떨어진 날. 우리는 방 밖으로 한 걸음도 나가지 않았다. 끼니때마다 줄곧 중화 반점에 전화했다. 하지만 짜장면이나 짬뽕은 시키지 않았다. 전부 요리만 여자가 시켰다. 마파두부, 깐풍기, 라조기, 난젠완쯔, 고추잡채, 유산슬, 팔보채, 깐쇼새우, 전가복, 유린기, 양장피를 먹었다. 물론 음식 대부분은 내가 해치웠다. 그리고 고량주를 매번 주문했다. 즉, 매 끼니 우리는 고량주 한 병을 나눠 마셨다.

다시 말해, 우리는 사흘 동안 술에 취해 해롱해롱 한 상태였다. 그런 상태에서 어설프게 섹스하고 변기에 토하기도 하고 주저앉아 샤워도 했다. 샤워기를 붙잡고 같이 노래를 불렀고 TV 채널을 두고 다투기도 하였으며, 빙글빙글 돌아가는 물침대에서 휘청거리며 춤을 추기도 하였다. 그렇게 주말이 지나갔다. 그녀와 보낸 마지막 사치였다. 일종의 신혼여행이라고 해야겠다. 이후 여자는 식당에 주방 보조로 들어갔고, 나는 다시 길거리 연주를 시작했다.

아직 쌀쌀한 아침. 여자가 옷을 입는 모습을 지켜보는 건 고역이다. 손바닥만 한 거울로 위아래로 구석구석 살펴본다. 여자는 짧은 입맞춤을 하고 방문을 연다. 밝아진 하늘. 흐린 그림자가 뒷걸음을 친다.

"그냥 우리 여기서 살까?" 여자가 휙 돌아서며 방긋이 웃는다. 잠시 고개를 끄덕거린 듯하더니 이내 대문을 나선다. 그리고 다시 고개를 돌린다. 그녀는 살짝 주름진 입가의 미소로 잠시 쳐다본다. 햇살이 그녀의 다갈색 뺨을 비스듬히 비추고 있다.

"다음 주에는 좀 일찍 와! 유럽 가면 안 돌아올 수도 있으니까. 알았지!"

붉은 아침 햇살이 자꾸 눈을 성가시게 한다.

You hate me as I was freak

You hate me as you've never known

The swan is down

The swan is down

But try…

You can try

To see

Just try…

You can try

You can try

The winter blows around your head

You feel alone but you dont know

You dont know why

The swan is down

But try…

You can try

To feel

Just try…

You can try

You can try

Oh

Ohh

Oohh

Kwoon – Bird

음악, 상념

나는 다시 4개의 문을 통과한다. 일반 면회실을 지나 복도 끝, 정사각형의 골방에 도착한다. 장식이라곤 CCTV 뿐인 온통 하얀 곳. 모든 모서리가 라운드로 된 탁자와 의자가 중앙에 있다. 나는 그곳에서 항상 그녀를 기다린다. 장기수 혹은 사형수 전용 면회실.

흥분이 밀려온다. 익숙하지만 늘 낯선 감정이 감싼다. 나는 그녀를 항상 생각한다. 어리석으리만큼 뜨거워진다.

그녀는 뭔가 특별한 것이 있다. 첫 만남부터 그랬다. 여자는 너무나 단순하고 해맑아 보였다. 마치 내가 사형수인 것처럼 느꼈다. 창백한 피부와 투명한 눈빛, 맑은 미소로 그녀는 낯선 이에게 말했다.

"아저씨와 섹스하고 싶어요."
"CCTV가 비추지 않는 좁은 공간이 있어요. 바로 저 구석이죠." 그녀는 열정에 사로잡힌 듯 단발을 흔들며 발그레한 볼을 부풀렸다.

그녀는 느긋하다. 마치 갇힌 공간을 부유(浮遊)하는 햇살 속의 먼지

같았다. 여자는 고사리 같은 손을 턱에 괴고는 끝없이 나를 바라본다. 나는 노트북을 펼치고 녹음기의 플레이 버튼을 누른다. 여자의 목소리가 일정한 속도로 천천히 흘러나온다. 나는 그녀를 자판에 담는다. 여자가 글을 남기는 유일한 방법. 그녀는 세 번이나 자살을 시도했다. 흉기가 될 수 있는 어떤 물건도 허락되지 않는다.

여자의 문장력은 놀랍다. 직선의 광선에 갇혔으나 빛보다 더 선명하게, 그녀가 선택한 단어가 이어지고 엮어진다. 그녀가 내게 내놓은 문장은 화려함을 감춘 응축과 포용이 뒤섞인 황홀한 습지처럼 부스스하다. 낙서와 무질서, 혼란스러운 메모 덩어리들이 뒤죽박죽인 상태로 질서 정연하게 이어나간다. 혹은 느닷없이 거친 문장이 치열하고도 단순하게 불쑥 솟아오른다.

나는 그녀의 언어를 탐욕스러운 눈빛으로 쳐다본다. 갖고 싶은 문장들. 내가 늘 건사하고 싶었던 언어들이 보석처럼 빛나고 있다. 겨우 한 장이 끝났는데 숨이 헉하고 찬다. 격렬한 연주가 끝난 음악가처럼 두근거린다. 나는 그녀를 쳐다본다.

그녀는 글이 주는 수혜의 병 속에 잠겨있다. 여자의 운명은 너무도 잔인하게, 죽음 앞에 비로소 삶의 가치를 내비친다.

나는 순간, 그녀가 사형수라는 것에 강한 질투심을 느낀다. 어차피 인간은 죽는다. 우리는 모두 그날을 알 수 없는 사형수다. 그녀는 애써 살기 위해 해야 할 의무에서 해방된, 어찌 보면 가장 자유로운 영혼이다. 삶을 온전히 자신에게로 맞추어 놓으면 된다.

나는 타협을 한다. 그녀는 완전히 나에게만 있다. 여자의 사형 집행일은 내 소설이 새롭게 태어나는 날이다. 나는 그녀의 재능으로 명예를 벌고, 그녀는 나로 인해, 사람들 속에 영원히 존재할 것이다. 세상 사람들이 소멸하기까지.

나는 그녀의 생각을 거두고 빈 녹음기를 건넨다. 그리고 그녀의 요구대로 구석으로 갔다. 그리고 거칠게 그녀의 옷을 벗긴다. 앙증맞은 입술에 나를 포갠다. 하찮은 내 몸뚱이를 계약의 징표로 바친다.

Clann - I hold you

음악, 상념

인생을 마무리할 시점이 되자, 변한 것 중 하나는, 흥미로운 일이 그다지 없다는 게다. 흥미가 사라진 자리는 그저 따분하지만, 안온하기도 한 일상의 조용한 반복만 계속될 뿐이다. 자고 깨어나, 내 방 네모난 창에 그려진 라일락과 오동꽃 그리고 하늘과 구름을 바라보고, 그 사이를 오고 가는 바람을 느낀다.

늦은 아침과 간단한 청소. 그리고 머그잔에 커피를 쏟고 볕이 드는 베란다, 길게 뻗은 안락의자에, 늘 입어 왔던 오트밀 색 스웨터를 입고 비스듬히 누워, 희고 성긴 탁자에는 노트북을 담아두고, 지난밤 얕은 잠결에 꾸었던 괴상망측한 기억 자락을 습관처럼 더듬는다.

꿈은 참 늙지도 않는다. 마치 샤갈의 그림처럼, 회색 도시 위를 몽환답게 날아다니기도 하고, 살인자의 칼을 피해 어둠 속을 기어 다니기도 한다. 러시안 티룸 같은, 고풍스러운 안락함 속에, 엔디브 샐러드와 붉은 마고 와인을 앞에 두고, 푹신한 쿠션에 몸을 누인, 순둥이 같은 여인의 따스한 손을 느끼는가 하면, 척박한 땅에서 난 허브가 가득한, 큰 포푸리가 주렁주렁 달린 나무집에서, 아이리스 꽃향기를 맡으며, 유유한 식사를 하다, 별안간 적들과 죽음의 결투를 신청하기도 한다.

어느 것 하나 십 대 때 가졌던 유치함에서 벗어나지를 못했다. 좀 더 좋게 말하자면, 여전히 꿈은 젊고 활기차고 무모하고 사랑스럽다. 이제 꿈도 몸을 떠날 때가 되었는데도 말이다.

하지만 어젯밤 꿈은, 환상이 아니라, 기억처럼 또렷하고 사실처럼 진지하다. 눈부시게 젊은 날, 모든 시간이 본능과 꿈을 좇아 엮어지던 시절, 삼수 끝에 겨우 들어간 대학 교정을 신바람 나게 휘젓고 다니던 그 날들. 낭랑한 웃음소리가 번지던 교실과 후문으로 가는 길옆을 가득 채운 개나리. 끊어지지 않고 늘 휘감겨 불어오는 소나무 숲길의 산들바람.

나무는 춤을 추고 구름은 한가롭다. 100년도 더 된 캠퍼스가 마치 어제처럼 눈앞에 그려진다. 숲이 끝나는 곳에 엉뚱하게 솟아오른 세 동의 기숙사 건물. 내가 속한 A동 11층에서 나는 늘 그녀가 사는 C동 9층을 바라다보곤 하였다. 9층의 어느 창인지는 모른다.

그냥 그중 하나에 노란 불이 들어오면 무심코 바라보게 된다. 그러다 창문이 열리기라도 하면, 나는 창 문턱에 턱을 괴고, 도저히 누가 누군지 분간이 가지 않을 만큼 멀리 떨어진 곳이지만, 바람에 코끝이 시릴 만큼 쳐다보곤 하였다.

Nils Frahm – Says

음악, 상념

세월이 아무리 가도 마음의 성숙은 어린애를 벗어날 길이 없다. 나는 꿈이 깰까 봐 조심스레, 이제 막 베란다 끝을 점령하기 시작한 봄 햇살 쪽으로 몸을 틀어 본다. 그러다 무심결에 맞는 한 줄기 바람이 첨예하게 살 속을 찌르고 간다.

나는 옷매무시를 다시 다지고, 행복했던 시절의 기억이 방해받지 않도록 보듬으며 하늘을 향해 고개를 천천히 들어 본다. 푸르름이 번진 하루는 그리움을 찬찬히 시작할 수도 있다는 서글픈 희망을 품도록 만들기도 한다. 그런 날은 새소리도 구슬프고 명확하며 바람 소리도 가벼워 하늘 밑 피조물에 대한 부드러운 손길을 한없이 느낄 수 있다.

나는 노트북 파워를 넣고 부팅을 기다린다. 무엇인가를 기억하고 쓴다는 것은 기분 좋은 일이다. 나는 내가 기억할 수 있는 한 많은 글을 남기고 싶다.

나는 끝없이 내 머리에서 솟구치는, 나의 의지와는 상관없이, 채색되고 가공된, 옛 추억이 버무려 낸 순간에 상상의 이야기를 엮어가면서, 불현듯 스치는 놀라운 인간의 재치를 탐구하는, 이런바 찰나의 순간을 사랑하는 방법을 모색할 수 있기를 바라마지 않는다. 어쩌면 그 순간의 몰입만이 내게 남겨진 몇 안 되는 즐거움 중의 하나일지도 모르겠다.

더욱이 이국땅에서 쓸쓸한 말년을 보낸다면 말이다.

Dalida & Alain Delon – Paroles

음악, 상념

Dalida & Alain Delon - Paroles, paroles

내 노트의 처음은 그녀를 알게 된 순간이 아니다. 교정에서 채 20분도 걸리지 않는, 낮은 집들과 좁고 구부정한 길들이 엮어낸 소박한 정물화 같은 곳에, 장식 하나 없이 무채색의 마름모꼴 성당을 나는, 일요일 오전, 그녀의 뒤를 밟아 들어갔다.

내부도 단순하긴 별반 다르지 않았다. 나무 십자가의 예수는, 그동안 보아 왔던 고통스러운 모습이 아닌, 다소 무심한 표정이었고, 좁고 긴 창에는 유럽의 성당에서 볼 수 있는 화려한 스테인드글라스 하나 없이 맑은 햇살만 곱게 내보내고 있었다.

나는 어린 시절, 부모님 손에 이끌려 경험한 미사를 기억해내고, 성호를 긋고 어둠에 눈이 익을 때까지 잠시 두리번거리며 서성거렸다. 그러다 회중석에 자리한 그녀를 본다. 나는 그날, 어디서 그런 배짱이 솟았는지, 그녀의 옆자리에 그냥 풀썩 주저앉았다.

그녀는 곱게 눈을 감은 채 기도를 드리고 있었다. 나도 기도하는 척하다가 살짝 눈을 뜨고 곁눈으로 그녀를 살폈다. 본능적으로 그녀의 가슴골이 눈에 들어왔다. 나는 우선 그녀의 수수한 옷에서 안심을 받는다. 과하게 신경 쓰지 않는 매무새는 포용처럼 느껴졌다.

미사가 시작되었다. 육중한 오르간 소리가 성당에 울려 퍼졌다. 모두 일어났고 나도 따라 일어났다. 입당 송이 시작되었다. 다들 찬송가를 펼쳤다. 그리고 그녀는 내가 빈손으로 왔다는 사실을 눈치챘다. 내게 찬송가를 살짝 내민다. 비로소 그녀와 눈이 마주쳤다.

거의 찰나에 가까웠다. 가슴이 주체할 수 없을 정도로 거칠게 뛰었다. 나는 입만 벙긋거리며 익숙하지 않은 노래를 흥얼거렸다. 그녀의 노랫소리가 합창 속에 약하게 섞여 있다. 마치 천국에 있는 듯하였다. 나는 그 순간을 아직도 또렷이 기억하고 있다는 사실에 언제나 고마움을 느낀다.

눈부신 젊음은 야속하게도 순식간에 사라졌지만, 기억은 오래도록 그 날의 행복을 기록해 두었다.

Kwoon - Great Escape

음악, 상념

오후가 되자, 나는 천천히 일어나, 허기를 달래기 위해 부엌으로 향한다. 냉장고 문을 열고 텅 빈 선반에 자리한 김치통과 그다지 손이 가지 않는 반찬 통 두어 개도 꺼내, 바니시 냄새가 아직 가시지 않은 밥상에 놓았다. 둘째 딸이 선물한, 냉동된 그라니테 샤베트도 한 통 꺼냈다.

보온밥통에서 밥도 펐다. 밥 냄새에 이끌렸는지, 갑작스럽고도 엉큼하게 검은 고양이 한 마리가 불쑥 나타났다. 몇 년 동안을, 이 골목 저 구석에서 가끔 본 녀석인데, 어느새 친구처럼 되어, 경계도 하지 않고 모습을 드러낸다. 나는 냉장고 문을 열고 먹다 남은 우유를 접시에 따라 녀석의 앞에 둔다. 서둘러 달려와 접시 앞에 쪼그리고 앉아 우유에 혀를 날름거린다. 손바닥만 한 부엌 창문에서 따스한 봄빛이 살랑거린다. 나는 한동안 앉아 내 삶의 공간을 바라본다.

22평의 다세대주택은, 어쩌면 나의 마지막 삶의 공간이 될 것이고, 이곳에 오기 전, 나는 아내를 떠나 보냈다. 자식들도 각자의 둥지를 찾아 오래전에 떠났다. 나는 내 아버지와 어머니, 형제들에게서 떠나듯, 이제 내 아내, 내 자식들을 떠나 보냄으로써, 적어도 생물학적인 생의 목적은 다 한 셈이 되었다.

목적이 지나간 자리. 그리고 홀로 된 자리. 그러자 나의 공간은 지나치게 넓어 보이고 내가 소유한 것들은 한없이 사치스럽게 느껴진다. 나는 내 가족을 위해, 아니 어쩌면 세상에 보이는 나를 위해, 좀 더 넓은 집과 좀 더 비싼 차와 좀 더 고급스러운 물건들에 집착을 보일 때가 있었다.

돌이켜보면, 허망하게도 내 시간의 큰 뭉치들은 온전히 <소유의 갈증>으로 채워졌다. 욕망이라는 끝없는 허기로 만들어진 아가리에, 나는 성실하게, 내 인생의 대부분을 바쳐가며, 결국은 거추장스러운 것들을 쑤셔 넣은 것이다. 아무리 넣어도 부풀지 않는 그곳에 말이다.

그게 단지 후회스럽다. 그렇게 아등바등하지 않아도 될 일을. 덜 경쟁할걸. 그냥 그저 하늘과 구름 한 번 더 보고, 잽싸게 마로니에 나무 뒤로 사라지는 청설모 부부가, 내 방 네모난 창에 다시 나타나길 기다리는 설렘이나 진작 배워둘걸.

나는 왜 이런 사실을 내 삶의 종착역에서 비로소 느끼게 된 걸까?

도대체 무엇이 애초에 잘못된 걸까? 아니면 인간은 원래 그 삶을 얼추 다 살아봐야 비로소 작은 깨달음 하나 얻고 가는 존재로 빚어진 걸까?

Archive - Bullets

음악, 상념

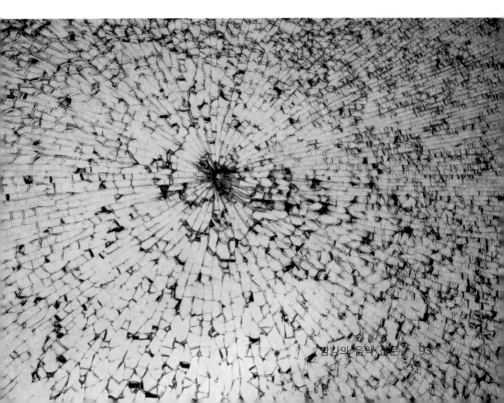

후회의 가닥은 그리움과 연민과도 동반한다. 그러지 말았어야 할 순간. 손목을 굳게 움켜잡고 놓지 말았어야 했었는데. 욕정과 호기심, 새로움에 춤추던 젊은 시절은 그저 돌아보면, 후회, 후회, 후회, 또 후회. 온통 후회투성이다. 그리고 그 시간은 이제 그리움이라는 파편으로 내 삶에 덕지덕지 달라붙어, 밤이 되어 홀로 누운 자리, 창에 달라붙은 도시의 네온사인 불빛만큼이나 신경이 쓰인다.

나는 그녀를 따라 예정에도 없던 <17, 18세기 영미 시>를 수강 신청하였다. 100명도 넘는 사범대 영어과 학생 중 단 세 명뿐인 남학생. 그중에 타과 학생은 내가 유일했다. 학점 짜고 난해하기로 유명한 노교수의 강의를 감히 수강하는 얼빠진 녀석이 된 것이다. 그리고 그녀는 여전히 강박처럼 강의실 맨 앞줄에 앉았고, 나는 맨 뒷줄에, 마치 남자 지정석처럼, 유일한 남자들 옆에 나란히 앉았다.

강의는 지루함의 극치를 달렸다. 마치 시간이 멈춘 듯, 잡음 섞인 마이크에서, 구분되지 않는 영어 발음과 중얼거리는 한글 해석이 끝도 없이 쏟아졌다. 불쌍한 공학도에게는 이해하기가 거의 불가능했다.

나는 첫 수업부터 받아 적기를 포기하고, 그저 멍하니 그녀의 말아 올린 까만 머리만 쳐다봤다.

무료한 시간은 상상으로 채워졌다. 그리고 시간이 갈수록 공상은 풍부해지고 상세해졌다. 이야기는 이제 구체화하였고, 마치 손에 잡힐 듯 생동감을 더해갔다. 물론 주요 등장인물은 나와 그녀였다. 그리고 어쩌면 당연하게도, 지극히 우울하고 서글픈 결말이 더해졌다.

그녀는 언제나 수업이 끝나면, 머리 뒤로 손을 뻗어서 머리카락을 풀어 흔들었다. 강의 시간 내내 말없이 주의를 기울이며 응결되었던 그녀가 해동하기 시작한 것이다. 찰랑거리는 검은 물결 속으로 내 도취한 마음마저 흔들렸다. 언제까지 이런 <지켜봄>이 지속 가능한지 나로선 당최 알 길이 없었다.

사랑은 시간 속의 고뇌였다.

나의 행동과 생각을 강제하고, 숙명적이라는 착각을 요구하고 독점하고 특별하게 만들었다. 그녀가 천천히 가방을 어깨에 메고 몸을 틀어 계단을 올라 나의 곁을 스쳐 갔다. 계단참에 엉거주춤 선 채,

그녀가 흘리고 간 기억 자락을 주워든다. 그녀의 얼굴에는 젊음이 발산하는 도도함이 서려 있다. 창백한 살결은 우아했고 짙은 눈의 미세하고도 온전한 떨림은 연민을 자아낸다.

If It Be Your Will

음악, 상념

Leonard Cohen - If It Be Your Will

방은 생각보다 작고 시원하고 어두웠다. 하지만 마음속에 그려보고 희망하고 거의 만들어내기까지 한 모습은 아니었다. 일 년에 단 한 번 있는 <기숙사 오픈 데이>. 나는 여자 기숙사 9층의 방 하나하나를 다 뒤지고 있었다. 그리고 발견한 그녀의 사진. 다섯 자매가 활짝 웃고 있었다. 모두 하얀 블라우스에 긴 생머리와 청바지 차림이었다. 그녀가 사는 곳을 비로소 찾은 것이다. 922호. 하지만 그녀는 없었다.

낯선 룸메이트가 싱긋 웃으며, 예기치 않은 방문 탓에, 호기심을 잔뜩 묻은 채 물끄러미 쳐다봤다. 나는 서둘러 창가로 가서 11층 나의 방 창문을 가늠해 보았다. 아쉽게도 내가 보는 쪽이 아니었다. 그동안 나는 다른 사람의 방을 열심히 지켜본 것이다. 아무튼, 좋았다.

나는 마치 사건 현장에 나온 수사관처럼 찬찬히 그녀의 방을 훑어내려갔다. 나무 침대와 하얀 보가 덮인 책상. 그 사이로 붉은 조명이

어딘가에서 나와 벽을 타고 내려왔다. 낡은 TV가 보이고 좁은 탁자가 구석을 차지했다. 탁자 위에는 도서관 마크가 찍힌 책들이 놓여 있었다. 모두 <존 업다이크> 소설이었다.

나는 룸메이트의 맞은편, 그녀의 자리로 추측이 되는 침대에 조용히 엉덩이를 내려놓았다. 잠시 적막함과 어색함이 좁은 공간을 지배했다. 어느새 눈은 어둠에 익숙해졌다. 침묵이 나풀거리는 커튼 사이를 넘나들었다. 하지만 곧 왁자지껄한 소음이 들려오더니 한 무더기의 남녀가 들이닥쳤다. 그들은 룸메이트와도 친한 듯, 그녀 주변에 둘러서서 큰소리로 부재중인 주인장 이름을 불렀다. "송안나 어디 간 거야?"

나는 슬그머니 방을 빠져나왔다. 떨어지지 않는 발걸음을 억지로 옮겼다. 어릴 적, 생일에만 맛볼 수 있었던 짜장면을 비우고 중국집을 나서는 기분이었다. 그녀의 공간을 빈틈없이 살펴보고 음미하고 오랫동안 기억하고 싶었다.

나는 아주 천천히 계단을 이용하여 지상으로 내려왔다. 선명하고 따가운 가을 햇살을 받으며 나의 발걸음은 중앙 도서관으로 향했다. 예상대로 <존 업다이크> 책은 모두 대여 중이었다. 나는 어쩔 수 없이 북문 앞 대형 서점으로 발길을 돌렸다. 겨우 책 한 권을 구했다. <달려라, 토끼>.

40년이 지난 지금, 나의 서재에는 그의 토끼 4부작이 모두 꽂혀있다. 한글책뿐만 아니라 영어 원본, 독일어 번역 책도 샀다. 나는 비가 오는 오후가 되면, 종종 언어별로 모두 꺼내 놓고 한 줄씩 비교해 가며 읽곤 한다. 속도는 무척 느리지만 조급해할 이유가 없다. 여러 번 읽은 터라 내용은 알고 있었다.

그저 처음 읽었을 때의 묘한 끌림만 회상하고 싶었다.

IIf it be your will

That I speak no more

And my voice be still

As it was before

I will speak no more

I shall abide until

I am spoken for

If it be your will

If it be your will

That a voice be true

From this broken hill

I will sing to you

From this broken hill

All your praises they shall ring

If it be your will

To let me sing

From this broken hill

All your praises they shall ring

If it be your will

To let me sing

If it be your will

If there is a choice

Let the rivers fill

Let the hills rejoice

Let your mercy spill

On all these burning hearts in hell

If it be your will

To make us well

And to draw us near

And bind us tight

All your children here

In their rags of light

In our rags of light

All dressed to kill

And end this night

If it be your will

If it be your will

Rainbow – Rainbow eyes

음악, 상념

나는 용기를 내어 그녀에게 편지를 썼다. 나의 이름과 전공, 기숙사 호실을 소개하고, <존 업다이크>를 좋아하는데, 우연히 <오픈 데이> 때 당신의 방에서 그의 소설을 발견하여 기뻤다는 것과 혹시 책을 도서관에 반납하게 되면, 내게 알려주면 고맙겠다고 적었다.

나는 편지 겉봉에 연애편지가 절대 아니라는 점을 강조하기 위하여 <영미 소설 애호가>라고 적었다. 그리고 편지를 여자 기숙사 관리실 한편에 있는 편지함에 그냥 넣어 두기만 하면 될 일이었지만, 나는 마치 외부에서 온 편지처럼 위장하기 위하여, 애써 우표를 붙이고, 교내 우체국 대신 근처 마을 우체통에 편지를 넣었다.

일주일 뒤, 나는 쪽지가 든 편지를 받았다. '죄송해요. <존 업다이크> 팬이 가까이에 있는 줄은 전혀 몰랐네요. 우선 한 권 반납했어요. 나머지도 곧 반납할게요. 좋은 시간 되시길.' 그녀의 필체는 의외로 투박하고 내용은 건조하였다. 하지만 나는 세상을 다 얻은 것처럼 기뻤다.

나는 틈만 나면 읽고 또 읽었다. 그리고 다시 편지를 썼다. 자신은 책을 아주 천천히 읽는 사람이기에 조급하게 반납할 필요가 전혀 없다는 사실과 혹시 원문이 있으면 빌려주실 수 있는지를 물었다.

이주일 뒤 나는 낡은 영어책 한 권을 받았다. 펼쳐보니, 그녀의 책이 확실해 보였다. 곳곳에 투박한 글씨체의 한글 주석이 달려 있었다. 그 날 이후, 나는 틈만 나면, 그녀의 책과 한글 번역본을 펼쳐 놓고 한 줄씩 읽어 나갔다. 물론 그녀에게 편지를 보내는 것도 잊지 않았다. 비록 가물에 콩 나듯이 답장을 받았지만 그래도 행복했다. 적어도 그해 겨울까지는 말이다.

****

그해 겨울, 아버지가 부도를 맞았다. 어렵다는 것은 익히 알았지만, 이 정도로 심각할 줄은 예상하지 못했다. 빚쟁이가 들이닥쳤고, 우리 가족은 도망치듯 지하 단칸방으로 몸만 옮겼다. 나는 가족과 나를 위해 할 수 있는 단 하나의 방법을 실천했다. 휴학하고 공군에 자원입대하였다. 그리고 이듬해 2월. 눈발이 세차게 날리던 날, 어머니의 배웅을 받으며 대전 훈련소로 가는 기차에 몸을 실었다.

나는 떠나기 전, 그녀에게 빌린 책을 돌려주며, 간단하게 군에 간다고만 적은 쪽지를 넣어 두었다. 그녀에게 쓸 말은 끝도 없이 많았지만, 가슴엔 절망만 넘쳐 흘렀다. 어쩌면 마지막이 될 편지는 결국 한 글자도 써 내려 가지 못하고 가슴에만 오롯이 남겼다.

나는 신부님에게도 감사의 편지를 남겼다. 신부님 말씀 덕에 일요일이 무척 행복했다고 적었다. 그리고 처음이자 마지막으로 고백성사도 보았다. 나는 절망스러운 가난과 짝사랑의 고통을 토로하고, 곧 닥쳐올 군 생활의 암담함을 털어놓았다.

나는 지금도 그 시절이 불현듯 느껴진다. 마치 운명의 장난처럼 모든 게 꼬여가고, 아무것도 할 수 없고, 나 자신조차 의심과 불안으로 가득했던 찰나와도 같은 날들 말이다. 하지만 결국, 지나고 나면 그 고통조차 그리움으로만 덩그러니 남았다.

Ne me quitte pas

음악, 상념

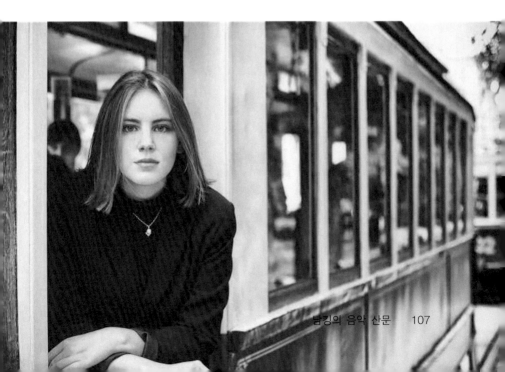

Jacques Brel - Ne me quitte pas

그해 여름, 나는 첫 휴가를 나갔다. 이틀을 집에서 보낸 나는, 이른 아침, 학교로 향했다. 하지만 목적지는 성당이었다. 강 신부의 초청을 받아들인 것이다. 그는 매년 여름이 되면 청년들을 대상으로 농촌 봉사 활동을 주도적으로 이끌었다. 금쪽같은 휴가 기간이지만 며칠만이라도 참가해 주면 고맙겠다는 그의 권유를 나는 흔쾌히 받아들였다. 어차피 술에 절어 낭비할 시간이 아니겠는가!

승용차와 버스, 배를 번갈아 타고 종일 달려, 십여 명의 청년 일행이 도착한 곳은 한적한 어촌이었다. 수평선에 걸친 해는 이미 붉게 물들고 있었다. 우리는 서둘러 각자 맡은 짐을 들고 캠프가 있는 곳까지 걷기 시작했다.

8월의 뜨거운 태양은 긴 그림자를 달아 주더니 어느새 슬그머니 사라졌다. 그리고 어둠이 몰려왔다. 우리는 준비한 플래시를 켜고 낯설고 좁은 길을 조심스레 걸었다. 땀이 비 오듯이 흘렀다. 더위는 해가 져도 물러날 생각이 없어 보였다. 그나마 간간이 불어오는 바닷바람이 위안이 되었다.

일행은 한 시간쯤 걸어 목적지에 도착하였다. 세상은 이제 칠흑의 밤이었고 깨알 같은 별이 온 하늘을 덮고 있었다. 캠프 입구를 밝히는 두 개의 백열전구에는 수많은 벌레가 몰려들었다. 우리의 도착이 전해지자 숙소에 있던 봉사 대원들이 모두 나와 저마다의 방식으로 반가움을 표했다. 그 속에는 강 신부도 보였다. 허름한 작업복에 고무신을 신은 모습이 영락없는 농부였다. 언제나 말쑥한 사제복장의 모습만 보아 온 터라, 순간적으로 낯선 사람으로 여겨졌다.

그리고 나는 젊은이들 속에 낯익은 여인을 목격했다. 비록 짧게 자른 단발머리에 화장기 없는 얼굴, 널찍한 티셔츠와 풍성한 몸뻬를 걸쳤지만, 한눈에 그녀를 알아봤다. 그리고 그녀와 눈이 마주쳤다. 그녀가 나를 보더니 활짝 웃으며 다가왔다. 심장이 망치질하듯 마구 쿵쾅거리기 시작했다.

"만나서 반갑습니다. 송 안젤라입니다." 그녀는 악수를 청하였다.

"아 네. 저 저 저는 토마스. 김 토마스입니다." 나는 그녀의 손을 덥석 잡았다. 생각보다 손은 거칠고 차가웠다. 하지만 나는 절대로 손을 놓지 않겠다는 듯 꽉 잡고 있었다. 어느새 강 신부가 옆에 다가와 있었다. 그는 우리의 어깨를 두드리며 말하였다.

"마침내 만나게 되었구먼. 카르페 디엠."

Tish Hinojosa - Donde Voy

음악, 상념

"...."

그녀가 뭐라고 말을 했다. 버스 안에서. 뒷자리. 농촌 봉사 활동에서 돌아오던 그 날. 우리 조가 모두 모여 있던 그곳에서. 그녀가 살짝 다가와 내게 속삭인 말. 무슨 말을 했는지 아무리 애를 써도 기억이 나지 않는다. 하지만 그녀의 표현 깊은 곳에서, 나는 그 말뜻이 내포한 정반대의 의미를 정확히 읽어 냈었다. 그리고 지금도 그 느낌만은 생생히 기억한다. 그것은 투정이었지만 진실은 마음이었다.

'그녀는 나를 좋아하고 있다!'

어디서 그런 확신이 나왔는지는 알 수 없다. 그녀의 표정. 그녀의 눈동자. 그녀가 말할 때 오물오물하던 입술의 표정. 휙 지나가는 뒷모습에 풍겨 오던 그녀의 화장품 냄새. 아니 어쩌면, 농촌에서의 마지막 날, 검은 텐트에 랜턴 하나 덜렁 매달아 놓고 시작한 놀이. 무슨 놀이였던가? 아무튼, 내 옆에 앉은 그녀. 그리고 왠지 모르게 의식적으로 내 어깨에 자주 올라가던 그녀의 손. 웃음 속에 마주친 그녀의 밝은 미소. 그 속에 담긴 무수한 항변을 나는 직감적으로 느끼고 있었는지도 모르겠다.

<끌림의 몸짓>을.

나는 그 순간, 버스에서, 한없는 설렘을 느꼈다. 차창 밖을 쏜살같이 지나가는 도시의 풍경이, 그 찰나의 모습이, 마치 느린 동작처럼 길게 늘어졌다. 마치 <살바도르 달리>의 <기억의 지속>을 보는 느낌이었다. 늘어진 창밖 광경. 엿가락처럼 휜 도로 위, 저마다의 길을 떠나는 사람들의 행복한 미소.

어질머리나는 도시의 간판들. 마음의 부림은 기승을 부리던 더위도 서늘하게 바꾸고 있었다. 더는 좋아질 수 없는, 나는 그저 사랑의 기쁨 속에 풍덩 빠져 있었다.

나는 귀대하자마자 그녀에게 편지를 다시 쓰기 시작했다. 거의 사흘에 한 통은 보냈을 것이다. 그리고 다음번 휴가 때 꼭 만나고 싶다고 적었다.

Big Jet Plane

음악, 상념

거리를 비워두세요

Angus & Julia Stone - Big Jet Plane

밋밋한 푸른 체크무늬 블라우스. 흰 양말과 낮은 굽의 황갈색 구두. 장식 없는 검은 핸드백. 겨우 짜내 기억한, 그녀와의 첫 데이트. 군에서 맞은 두 번째 휴가.

함박눈이 펑펑 내린 좁은 골목길을 묵직한 소리를 내며 걸어서 들어간 카페. 작은 뜰 외에는 아무 특징이 없는 그냥 그런 그곳. 재즈 음악이 차양처럼 드리웠고, 커다란 고드름이 조롱조롱 매달려 있던, 낮은 지붕들이 온전히 다 내다보이는 곳에서, 나는 얼얼한 손을 비비며 그녀와 마주 앉았다.

두려움과 행복감이 교차하였다. 말은 헛나가고 목소리는 고조되었다. 도저히 그녀에게서 눈을 뗄 수가 없다. 시간은 흐려지고 정신은 산만하다. 침묵은 두렵고 대화는 빗나가기만 한다. 객쩍은 생각만 머릿속을 헤집는다. 별스럽게 웃음이 헤프다.

지금도 그때를 생각하면 얼굴이 화끈거린다. 그리고 넌덜머리가 날 정도로 시도 때도 없이 그 날이 떠오른다. 내 기억 한편에 꾸깃꾸깃 들어앉아 당최 옅어지려고 하지를 않는다. 어떻게 인사하고 헤어졌는지 기억이 가물가물하기만 하다. 그리고 헤어지기 전, 그녀는 내게 초청장을 불쑥 내밀었다.

어느새 그녀의 졸업이 코앞에 다가온 것이다.

가톨릭 청년회에서 주최한 졸업 환송회가 끝나자, 참가자들은 졸업생 주위를 빙 둘러선 채, 손뼉을 치며 노래를 불렀다. 작별의 노래. 악수와 포옹이 오가고 어떤 이들은 눈물이 맺혔다. 초대받은 이들은 입구 쪽 의자에 머쓱하게 앉아있었다. 대부분 가족이거나 연인이었다.

나도 그 들 속에 끼어 있었다. 졸업생들이 한 명씩 차례로 무대에서 사라져갔다. 이윽고 그녀가 내게 다가왔다. 그녀는 내게 손을 내밀었다. 우리는 손을 잡고 천천히 환송 인파를 뒤로 한 채 홀을 빠져나왔다.

밖은 춥고 어두웠다. 나는 그녀의 손을 놓지 않았다. 외투 주머니에 잡은 손을 푹 찔러 넣었다.

죽음이 갈라놓을 때까지 절대 놓고 싶지 않았다.

Metallica-Nothing Else Matter

거리를 비워두세요

노을이 세상을 온통 붉게 물들 때쯤, 지속해서 부는 바람 소리를 등지고, 나는 무거워진 몸을 이끌고 방으로 들어왔다. 침대에 털썩 누워, 오늘 기록한 그리움을 다시 들추어 본다. 마음은 회한으로 무겁게 가라앉았지만 어쩌지 못하는 작금의 상황을 받아들여야 하지 않겠는가. 다른 도리가 없어 보였다.

얼마 전 나는 알츠하이머 진단을 받았다. 의사는 확진까지는 좀 더 두고 봐야 한다지만, 나는 이미 느끼고 있었다. 삶의 무수한 자국이 내 머릿속 어딘가에 처박혀 있다가 그냥 술술 사라지고 있다는 것을. 그리고 해가 갈수록, 또렷한 듯 보이는 것들도, 어느 추리 소설처럼, 내 머릿속 뇌가 꾸미고 부풀리고 왜곡하여 만든 가상세계로 치장된 모습들도, 급속히 나를 떠나고 있다는 것을.

하지만 나는 안다. 내가 그리워하는 그녀의 모습을 나는 단 하나의 느낌으로만 간직하고 있다는 사실을. 나는 이제 그녀의 눈, 코, 입, 얼굴형, 뒷모습 등을 정말이지 아무것도 또렷이 기억하지 못하고 있다. 그냥 느낌만이 가득하다.

어렵게 대학생이 된 그해, 유난히 따뜻했던 봄날, 나는 새로 사귄 친구들과 캠퍼스를 신나게 활보하고 있었다. 세상을 다 가진 듯 행복했던 날들. 교정에 소풍 나온 한 무리의 유치원생들이 짝꿍과 다정하게 손을 잡고 재잘거리며 지나가고 있었다. 그런데 한 어린이가 그만 발을 헛디뎌 넘어졌다. 곧이어 터진 울음. 그때 한 학생이 잽싸게 달려와 그 어린이를 안았다. 그녀는 바지와 손에 묻은 먼지를 털어주고 환한 미소로 어린이를 달랬다. 그녀를 처음 본 순간이었다.

내 그리움의 시작은 그날이었다.

Dark Eyes

음악, 상념

Russian folk song - Dark eyes

졸업 환송회가 끝난 밤. 사람들이 사라진 텅 빈 교정. 어스름한 달빛
과 가로수가 흐릿하게 길을 내어주던 곳. 우리는 꽤 많은 시간을 걷
고 또 걸었다. 무슨 말을 했던가? 생각나지 않는다. 그러다 결국 마
주한 기숙사 건물. 고불고불한 숲길의 마지막. 나는 절대로 내주지
않겠다는 듯, 그녀를 잡은 손을 더욱 움켜쥐었다.

문득, 추위로 새파랗게 시린 입술로 그녀가 나에게 입 맞추었다. 키
스는 빠르게 스쳤고 아쉬움은 첫 만남 때처럼 어색하고 소원했다.
예상치 못한 일들은 나를 엉거주춤하게 했다. 하지만 쓰나미처럼 주
체할 수 없는 흥분이 밀려 왔다.

나는 혼미한 정신을 가다듬고 그녀를 와락 끌어안았다. 솜털 보송한
스웨터의 따스한 감촉. 나는 얼음장 같은 얼굴을 비비고 입술을 찾
았다. 점점이 뜨거워지는 입김. 황홀한 삶의 기쁨. 시간은 멈추었고
세상은 우리를 위해 조용히 숨죽였다.

나는 그녀의 눈길 속에 미소와 수줍음을 느꼈다. 언제나 고귀하면서도 확신에 찬 얼굴. 이 여인에게 나는 그저 속수무책이었다. 하지만 그것이 마지막이었다. 그녀는 교사 발령을 기다리며 아프리카로 봉사 활동을 떠났고 얼마 지나지 않아 그곳에서 순직하였다.

내 방 틈서리마다 온통 어둠이 깔렸다. 어둠은 서글픈 일들을 다시 생각하고 느끼게 만든다. 나는 서둘러 커튼을 열어젖힌다. 반은 기억이고 반은 망각 속에 사라진 단면의 시간이 후두두 떨어진다. 창밖 가로수는 세상의 불빛을 받아 환하다.

나는 방에 앉아 무시로 지나가는 청설모 부부를 기다린다. 그마저 없다면 허전한 노릇을 어떻게 견디겠는가? 그리고 깊은 밤이 되면, 침대에 누워 꿈속에 펼쳐질 흥미진진한 세상을 은근히 기대한다.

First Six Months of Love

음악, 상념

Michelle Gurevich - First Six Months of Love

예레미는 잠시 생각을 멈추고, 사랑스러운 눈길로 제냐를 쳐다봤다. 그리고 나풀거리는 그녀의 갈색 머리를 쓰다듬으며, 그녀를 살포시 끌어안았다.

몸을 어르는 즐거움.

그녀의 입술에 그의 손끝을 대어본다. 부드러운 감촉 위에 콧바람이 머문다. 새큰거리는 여자의 다문 입술이 십 대 소녀처럼 보였다. 둥글고 짙은 눈에 붙은 무거운 눈썹. 그녀는 살짝 눈을 흘기며 부드러운 미소를 지었다. 그녀의 미간. 웃음이 만드는 합죽한 모습. 그런 찰나의 순간은 언제나 내밀한 그들만의 사랑이었다.

그는 제냐의 손을 부드럽게 잡았다. 투박하지만 그 속엔 그를 사랑하게 만든 따스함이 배어있었다. 그의 어머니에게 느꼈던 그리움이었다.

윤곽이 도드라진 곳에 그녀의 연분홍빛 젖꼭지가 달랑거렸다. 그는 주체할 수 없는 욕망을 느끼며 말랑한 가슴을 만졌다. 그리고는 그녀의 불룩한 허리를 천천히 쓰다듬었다.

미세한 움직임. 그는 보름달처럼 부푼 제냐의 배에서 생명의 신비로움을 느꼈다. 눈으로 다시 보고 귀를 갖다 댔다. 규칙적인 심장 소리가 들려오는 듯하였다.

그는 점점 달아오르는 자신을 느꼈다. 숨을 쉴 때마다 뜨거운 김이 목을 태우는 듯하였다. 그는 이윽고 침을 한번 꿀꺽 삼키고는 확신에 찬 어조로 그녀에게 속삭였다.

"그곳은…. 내 어머니가 나를 잉태한 곳이니까."

Santana - Smooth

음악, 상념

그는 늘 이 순간을 기다렸다.

그는 느낀다. 그의 몸이 움직이기 시작한다는 것을.

그의 뇌에 산소와 포도당 공급이 촉진되고 심박수와 일회박출량이 늘어난다. 동공이 넓어지고 혈당 수준이 오른다. 신경 세포가 예민해지고 손 마디마디 근육이 민감하게 반응하기 시작한다.

그리고 그를 몰입과 쾌락으로 몰아넣는 고마운 녀석이 나타난다.

도파민. 마우드가는 도파민 중독자이다. 그의 삶의 궁극적 목적. 해킹의 목표는 도파민 분비 촉진이었다.

그는 시스템 침입을 시작했다. 정보 수집단계에서 수집한 정보를 바탕으로, 서버의 원격 버퍼 오버플로(buffer overflow) 취약점을 공격하였다. 단단하였다. 마치 피라미드 속에 홀로 갇힌 느낌이었다.

당연하다. 쉽다면 애초에 하지도 않았을 것이다.

어려움. 이것만이 그를 춤추게 했다. 인생이 쉽고 편안했다면 그는 진작에 자살했을 것이다.

그를 고통에 몰아넣는 녀석은, 알고 보니 안락함이었다.

세상이 부러워하는 금수저의 자식. 온갖˚사치와 향락을 다 누리고 살았다. 그 끝을 알 수 없는 권력과 금력의 정점 속에 늘 널브러져 있었다. 하지만 쾌락이라는 허기진 배는 채워도 채워도 끝없는 갈증 뿐이었다.

인간이 상상할 수 있는 온갖 기행이 시작되었다. 그러나 늘 고통이 아귀처럼 달라붙어 그의 육신과 정신을 갉아먹었다. 수렁이었고 끝이 없는 늪이었다.

그가 자학의 단계에 이르렀을 때 비로소 주위 사람들이 인식하기 시작했다.

길고 지루한 정신 병원을 들락날락했다.

그리고 그곳에서 아놀드 내시를 만났다. 같은 병동에 처음으로 친구가 생겼다.

둘은 거의 모든 시간을 같이했다. 사실 같이 있는 것 외에는 딱히 할 것도 없었다.

그의 만남은 새로운 시작이고, 출발은 그게 무엇이었던지 간에 약간의 긴장과 설렘을 그에게 주입하며 살아 있음에 대한 애착을 조금씩 느끼는 단계로 진행이 되었다.

마우드가는 아놀드가 사피엔티아의 형제이며 그의 별칭이 아니룻이라는 것을 알게 되었다. 그는 아니룻의 도움으로 해킹의 세상에 푹 빠지게 되었다. 비로소 그가 고통을 느끼지 않는 시간이 늘어났다.

그것은 몰입이었다.

Man, it's a hot one

Like seven inches from the midday sun

Well, I hear you whisper and the words melt everyone

But you stay so cool

My muñequita, my Spanish Harlem Mona Lisa

You're my reason for reason

The step in my groove

And if you said this life ain't good enough

I would give my world to lift you up

I could change my life to better suit your mood

Because you're so smooth

And it's just like the ocean under the moon

Oh, it's the same as the emotion that I get from you

You got the kind of lovin' that can be so smooth, yeah

Give me your heart, make it real, or else forget about it

But I'll tell you one thing

If you would leave it'd be a crying shame

In every breath and every word

I hear your name calling me out

Out from the barrio

You hear my rhythm on your radio

You feel the turning of the world, so soft and slow

It's turning you round and round

And if you said this life ain't good enough

I would give my world to lift you up

I could change my life to better suit your mood

Because you're so smooth

Well, and it's just like the ocean under the moon

Well, it's the same as the emotion that I get from you

You got the kind of lovin' that can be so smooth, yeah

Give me your heart, make it real, or else forget about it

Well, and it's just like the ocean under the moon

Oh, it's the same as the emotion that I get from you

You got the kind of lovin' that can be so smooth, yeah

Give me your heart, make it real, or else forget about it

Or else forget about it

Or else forget about it

Oh, let's don't forget about it

Give me your heart, make it real

Let's don't forget about it (hey)

Let's don't forget about it (now, oh, now, oh)

Let's don't forget about it (now, now, now, oh)

Let's don't forget about it (hey, now, now, oh)

Let's don't forget about it (hey, hey, hey)

Babe I'm Gonna Leave You

음악, 상념

Led Zeppelin - Babe I'm Gonna Leave You

마우드가는 늘 자신의 PC 앞에서 다음을 읊조린다.

'내가 사랑하는 것은 바로 내 앞에 있는 것이다.

나는 한때 걱정에 사로잡혔으나 지금은 컴퓨터에 갇혀있다.

나를 통제한 것은 나인가? 하지만 그건 이제 의미 없는 질문이다.

누가 통제하든 그게 무엇이란 말인가?

나나 컴퓨터나 결국 소실되는 것이다…'

인간의 행복은 고통을 망각할 수 있는 어떤 것에 빠져 있을 때뿐이다. 그러므로 그는 비로소 행복을 발견한 셈이다.

그는 패스워드 도청, 패스워드 파일 취득을 위한 공격 툴을 투여했다. 그러면서 동시에 느긋하게, 그가 오랫동안 준비한 회심의 다발성 역학 네트워크 침투 툴을 준비했다. 하지만 곧 그는 어떤 행동도 취하지 않는 상태로 바뀌고 말았다. 할 필요가 없게 되었다.

그야말로 뻥 뚫려 있었다. 누군가가 미리 무엇인가를 해 놓은 것이다. 허탈감이 밀려왔다.

하지만 놀라운 사실이 밝혀졌다. 그가 침투한 곳이 카를리타 금융 자원 연구소 시스템이었다는 것이다.

'도대체 하베스트 돔과 카를리타가 무슨 관계인 건지?'

카를리타의 금융 자원 연구소는 해커들 사이에 악명 높은 곳이었다. 크라운 더블 터치를 기록한 사항이었기에 시스템 해킹에 적게는 수 개월, 많으면 거의 몇 년은 소요될 것으로 짐작이 되는 곳이었다. 난이도와 깊이의 문제도 있지만 실상 더 어려운 것은 무엇부터 해야

하는 그 단계의 초점을 찾는 것부터 일 것이다.

4억 개가 넘는 시작점이 꽤 복잡함을 더해줬다. 그리고 마우드가는 사실 이러한 어려운 문맥에 대한 통찰력 또한 그다지 좋지 않은 인물이었기에 그다지 큰 기대를 하지는 않았다. 사실 그는 거의 어떤 조치도 안 한 셈이었다.

그가 본 바는 이렇다. 18개의 선진 금융이 엮인 네트워크인데 우선 알려진 것이 전혀 없었다. 추측건대 이러한 일을 할 정도면 무척 오랜 기간 묵시적 동의나 암묵적 행위가 수행되어야 하는데 전혀 밝혀진 것이 없다는 것은 무척 고무적인 일이었다.

하지만 그는 곧, 이 시스템이 그에게 유난히 쉽게 열려있는 이유를 마침내 알아차렸다. 그가 200개의 인공위성 접점 망을 우회하여 도달하였을 때, 첫 번째 내려받은 메시지는 <메멘토 모리>였다.

즉, 사피엔티아 13 형제 중 누군가가 이미 이곳을 다녀갔다는 얘기가 된다.

'누굴까? 누가 다녀갔으며 왜 이 사실을 공유하지 않았을까?'

틀림없이 여기에는 뭔가 그가 놓친 함정이나 비밀이 숨어 있을 것으로 단정했다. 어쩌면 가우타에 의해 모든 일이 이미 통제하에 있을 수도 있었다.

그는 깊게 팬 안락의자에 깊숙이 머리를 묻고는 눈을 감은 채 이성과 논리로 추리를 하기 시작했다. 모든 것을 이해하자면 꽤 많은 시간이 걸릴 것으로 판단이 되었다.

모든 문서에는 크립토스 4구 항의 암호가 걸려있었다. 하지만 그가 내려받아 사피엔틱 메가노스 항렬에 대입하자마자 모든 문서는 3초

이내로 풀려버렸다.

이것이 의미하는 바는?

사리님으로 단정을 할 수밖에 없는 상황이라는 것이다.

그는 모든 보안 업계의 첫 번째 요주의 인물이다. 사리는 미국 태생이지만 이미 추방령이 내려진 상태였고 선진 32개국에 즉시 수배령이 떨어진 상태였다. 하지만 그가 감옥에서 누군가의 도움으로 탈옥을 한 이후, 그의 행방을 알고 있는 자는 아무도 없다. 어쩌면 가우타님 정도만 알고 있을 것이라고 마우드가는 추측했다.

그가 이런 생각을 할 즈음, 그는 윙윙거리는 <쿼드콥터>의 전형적인 소리를 들었다.

마우드가는 황급히 창의 커튼을 열어젖혔다. 따가운 햇볕이 공간을 훤히 비추었다. 그는 눈살을 찌푸리며 바깥을 예의주시했다.

이윽고 거대한 <에어리얼 토페도>가 육중한 모습으로 드러나기 시작했다. 모든 총구가 그를 향했다.

그 순간, 그는 깨달았다.

아니룻이 그에게 한 이야기를…

"곧 재앙이 닥칠 거야…. 어느 힘센 무리가 지구를 리셋하려고 해…. 마치 노아의 방주처럼…. 우리 사피엔티아 형제가 알아냈지…. 땅에는 돔, 하늘에는 인공위성이 지나치게 많아졌어…. 소수의 선택받은 이들을 위한 거지…. 우리는 이것을 <지구 초기화 음모>라고 이름 지었어…."

그는 그저 농담인줄 알았다.

이윽고 모든 총구에서 불이 뿜어지기 시작했다.

Birdy - People Help The People

음악, 상념

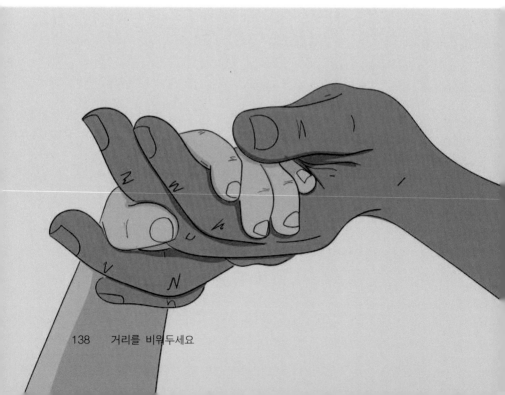

그들이 태어나 기억하는 하늘은 회색이었다. 짙은 회색 혹은 옅은 회색. 그것뿐이었다. 파랑과 붉음. 혹은 눈을 뜰 수 없을 정도로 투명한 하늘이 존재하였다는 사실을 그들은 절대로 믿지 않았다. 심지어 상상조차 하지 못했다. (<릴리안 나리>의 <호모 사피엔스 기록> <대멸종 편> 13장 66절)

낡은 도로

나는 회색 젤라바 차림으로 차에 올랐다. 그리고 낡은 마스크를 착용했다. 눈과 입만 도드라진 모습이 흐린 창에 어른거렸다. 익숙하지만 언제나 낯설었다. 진한 한숨을 가래와 함께 뱉었다. 먼지 냄새가 섞였다. 나는 시동을 걸고 페달을 밟았다. 육중한 차체가 부르르 떤다. 동시에 경유 탄 냄새가 퍼졌다. 나의 하관도 흔들거리기 시작했다.

기계는 천천히 힘겹게 움직였다. 벗겨진 아스팔트 도로가 눈앞에 서서히 들어왔다. 휘어지고 갈라진, 황폐한 길이, 온통 찌그러진 세상 사이로 곤죽이 되어 널브러져 있다. 낡은 차는 발작적인 딸꾹질을 하듯 한 번씩 쿵쿵거렸다. 그와 십 년을 같이 했다. 케케묵은 창고에 벌겋게 녹이 슨 3.5t 트럭을 발견했을 때, 나는 살 수 있겠다는 희망을 품었다. 한 달을 꼬박 매달려 결국 그 쇳덩이에 생명줄을 넣었다. 아울러 아내도 생명을 잉태했다.

아들은 드물게 성한 모습으로 태어났다. 기쁨이자 고통이었다. 삶의 목적이 하나로 고정되어 버렸다. 살아야 할 당위성이 생긴 것이다. 아들이 제대로 된 세상에서 살게 하는 것. 그것뿐이었다. 아주 큰 욕망이 작은 욕구를 모두 삼켜버렸다.

라르렌 숲에서 날아온 듯한 참나무 잎이, 바짝 마른 채, 백미러에 걸려 바람에 건들거렸다. 숲이 사라진 이후, 한 세대가 지났다. 하지만 여전히 대지는 뭉근한 불에 싸여있다. 태양은 가렸지만, 땅은 더 뜨거워졌다. 화염에 탄 재들이 사방으로 뭉쳐 다녔다. 불과 연기, 마른 먼지로 뒤덮인 공간은, 극소수의 살아남은 자에게는 저주였다. 살아있는 것이라고는 무엇 하나 온전하지 않았다. 그저 죽음을 기다리는 고통이었다.

나는 가속 페달을 꾹 눌렀다. 차는 비포장이나 다름없는 거친 도로를 힘겹게 달리기 시작했다. 앉은 자리는 지나치게 건들거렸다. 눈앞에 펼쳐진 세상이 심하게 흔들렸다. 회색 먼지. 검은 구름. 메마른 땅. 사방에 널브러진 잔해. 그리고 외로움이 포개어졌다.

God knows what is hiding in those weak and drunken hearts

Guess you kissed the girls and made them cry

Those hard-faced Queens of misadventure

God knows what is hiding in those weak and sunken eyes

Fiery throngs of muted angels

Giving love but getting nothing back, oh

People help the people

And if your homesick, give me your hand and I'll hold it

People help the people

Nothing will drag you down

Oh, and if I had a brain, oh, and if I had a brain

I'd be cold as a stone and rich as the fool

That turned all those good hearts away

God knows what is hiding in this world of little consequence

Behind the tears, inside the lies

A thousand slowly dying sunsets

God knows what is hiding in those weak and drunken hearts

Guess the loneliness came knocking

No one needs to be alone or sinking

People help the people

And if your homesick, give me your hand and I'll hold it

People help the people

Nothing will drag you down

Oh, and if I had a brain, Oh, and if I had a brain

I'd be cold as a stone and rich as the fool

That turned, all those good hearts away

Nah, nah, nah, nah, nah, ooh

Nah, nah, nah, nah, nah, ooh

People help the people

And if your homesick, give me your hand and I'll hold it

People help the people

Nothing will drag you down

Oh, and if I had a brain, Oh, and if I had a brain

I'd be cold as a stone and rich as the fool

That turned all those good hearts away

Cigarettes After Sex - Sweet

음악, 상념

아내를 일 년 가까이 보지 못했다. 언제나 그녀 생각뿐이었다. 내 인생의 바닥짐과 같은 존재. 구름이 낮은 어느 적막한 마을. 세상의 오염이 생명을 마구잡이로 앗아가던 시절. 나는 피폭으로 한쪽 눈을 잃은 채, 거친 광야를 헤매다 바닷가에 이르렀다. 여인은 낯선 이에게 선뜻 생선 죽을 내놓았다. 나는 그녀에게 감사의 표시로, 낡아 빠진 배를 정성껏 수리하였다. 그리고 사랑을 나누었다. 나는 죽음의 바다에서 삶을 건졌다.

하지만 아들이 초롱초롱한 눈망울로 아빠를 부르는 순간, 나는 떠나지 않고는 못 배길 때가 오고 말았다는 것을 알았다. 마지막 남은 청정구역. 젖과 꿀이 흐른다는 땅. 극소수의 선택된 자만이 산다는 곳. 노아의 둠으로 아들을 보내야만 했다. 카펜타닐이 필요했다.

돈은 그냥 종잇조각이었다. 보석도 그냥 돌덩이가 된 지 오래였다. 세상의 통화는 마약이 대신했다. 그중에 중국산 카펜타닐은 압도적으로 귀한 존재였다. 한순간이라도 고통을 잊게 해주는 것. 그것이 삶이 되었다.

모든 살아 있는 것은 병이 들었다. 아이는 인두염을 달고 살았다. 그

렁그렁, 가래가 가득한 목소리. 지나치게 창백한 얼굴. 충혈된 눈. 바이러스는 인간보다 훨씬 강했다. 황열이, 몇 안 되는 살아남은 어린 자식의 숨통을 끊기 시작했다.

아들은 용케 극복했다. 하지만 기쁨도 잠시, 백신이 사라진 세상의 어린이는, 변종 바이러스의 좋은 먹잇감이었다. 바이러스성 뇌막염이 창궐하였다. 티푸스가 한 마을 주민을 몰살하기도 하였다.

가속이 붙을수록 차는 심하게 요동쳤다. 나는 운전대를 꼭 잡은 채, 먼지로 뒤덮인 세상을 바라봤다. 앞으로 1,200km. 도로를 식별할 수 있는 한, 쉴 새 없이 달려야 한다. 위험하기 짝이 없는 이곳은 그야말로 무법지대이다. 머무른다는 것은 곧 죽음을 의미했다.

하지만 두려움보다 외로움이 앞선다. 차라리 딴죽을 걸거나, 엄포를 놓던 동료라도 이 순간은 그립다. 전쟁이 남긴 것은 긴 침묵이었다. 어디를 가나 버려진 것뿐이었다. 짐칸에는 잡동사니가 들어있다. 그리고 어딘가에는 무척 귀한 물건이 담겨있다. 어디에 숨겨져 있는지는 나도 알 수

Max Richter - Mercy

음악, 상념

한참을 달렸다. 그동안 바람 소리와 낡은 타이어가 내는 신음만 들려왔다. 나는 내 머리에 남은 낡은 추억들을 들추려고 애를 썼다. 기억은 사람들이 고독이라고 말하는 고통을 이겨내는 야릇한 피난처와 같았다. 나의 행복은 초등학교를 갓 입학한 어느 날 밤까지만 이어진다.

그날 밤, 아버지는 모든 문을 잠그고, 창문을 두꺼운 판자로 가렸다. 그로부터 세상이 회색으로 바뀌기 시작했다. 땅이 흔들렸고 뜨거운 열기가 전해졌다. 나는 심한 탈수로 눈을 뜰 수조차 없었다. 그저 누워만 있었다.

지독한 졸음이 몰려왔다. 거의 비몽사몽간을 헤매며 달리고 있었다. 하지만 길에서 벗어나지만 않으면 그만이었다. 6시간을 달렸지만, 아직 차 한 대 보지 못했다. 다행이었다. 주위에 무엇인가 움직인다는 것은 곧 긴장을 나타냈다.

마침내 도시로 접어들었다. 해가 저물기 시작했다. 여전히 움직이는 것은 보이지 않았다. 지나치게 높은 빌딩들이 옆을 스친다. 한때 세상의 중심이었던 곳. 기고만장한 인간들의 요란한 놀이터. 하지만 이제 지푸라기보다 약한 존재가 되었다. 낡고 앙상한 빌딩 사이로 붉은 회색빛이 암울한 도시를 덮기 시작했다.

나는 속도를 늦추고 차를 외진 곳에 세웠다. 그리고 서둘러 칙칙하고 어두운 곳에 잠자리를 마련했다. 시야를 확보하고 나를 숨길 수 있는 곳. 풀들이 무성하게 자라 안성맞춤이었다. 나는 아스팔트나 콘크리트 사이를 비집고 솟은 녹색 생명을 생뚱스럽게 쳐다봤다. 인간이 만든 재앙을 극복하는 그들을.

곧 어둠이 찾아왔다. 아무것도 보이지 않았다.

하늘이 밝아 올 때 나는 서둘러 출발했다. 짙은 구름은 여전하고 바람도 거세었다. 나는 최대한 나의 흔적을 지우기 위해 먹다 남은 부스러기 하나까지 모두 땅에 묻었다. 그리고 돌과 건초를 주워다 주위에 듬성듬성 뿌렸다. 모든 게 자연스러워야 했다. 인위적인 흔적은 곧 죽음을 의미하였다. 나를 지워야 내가 산다.

침울하게 뻗은 도로. 먼지가 더디게 몰려왔다. 나는 눈을 가늘게 뜨

고 뼈다귀만 남은 건물 사이로 지평선을 바라봤다. 벙커 같은 언덕
은 회색빛 햇살로 덮였다. 모든 것이 정지된 낡은 그림 같았다.

A Moment Before Happiness

음악, 상념

거리를 비워두세요

Gian Marco Castro - A Moment Before Happiness

어느 정도 갔을까? 갑자기 기계음에 정신이 번쩍 들었다. 잠시지만 꿈으로 착각했다. 하지만 곧이어 두 번 더 엔진 소리 같은 게 울렸다. 날은 밝았다.

후방 모니터를 주시했다. 몇 대의 드론이 보였다. 입에서 욕지거리가 터졌다. 긴장이 가슴을 옥죄기 시작하였다. 나는 액셀러레이터를 있는 힘껏 꾹 밟았다. 거친 도로를 쿵쾅거리며 차가 심하게 흔들렸다. 하지만 기계는 어느새 낡은 트럭 주위를 감싸고 있었다. 그들은 천천히 내려앉으며 트럭 구석구석에 달라붙었다.

나는 핸들을 심하게 몇 번 이리저리 흔들어댔다. 몇몇 드론이 튕겨 나갔다. 하지만 대부분은 찰싹 달라붙은 채, 차에 구멍을 뚫기 시작했다. 크고 작은 구멍이 군데군데 생겼다. 곧이어 센서가 달린 촉수를, 꿈틀거리며 그 속으로 집어넣기 시작했다.

짐칸에서 심한 소리가 들렸다. 드론이 거칠게 잡동사니를 뒤적거리는 듯 보였다. 이윽고 검은 드론이 차창밖에 바싹 달라붙었다. 뭔가 냄새를 맡은 것처럼 천천히 위로 올라가기 시작했다. 다른 드론은 기괴한 소리를 내며 문을 거칠게 열어젖히고 있었다. 등 뒤에서 불현듯 뜨거운 열기가 느껴졌다. 용접기에서 나는 불꽃을 튀기며 뒷면에 큰 구멍을 내고 있었다. 일부 드론은 윈치를 이용하여 두터운 문을 뜯어내기 시작했다. 그야말로 트럭을 산산조각 낼 참이었다.

그사이 내가 할 수 있는 일은 차의 속도를 올리며 이리저리 흔들어대는 것뿐이었다. 절망과 좌절, 공포가 쓰나미처럼 몰려왔다. 천장에 쐐기처럼 박혀있던 나사들이 후두두 떨어져 나갔다. 탁한 바람이 거칠게 몰려들었다. 폴리프로필렌을 녹여서 만든 저장 용기가 삐죽이 삐져나온 게 보였다.

그러더니 카펜타닐이 눈보라처럼 내리기 시작했다. 나는 급히 배낭을 뒤져 방독면을 착용했다. 그리고 노출된 모든 피부를 닥치는 대로 감싸기 시작했다.

"젠장 천장에다가 숨겼구먼…."

4세대 카펜타닐의 독성은 그야말로 지독하다. 모든 유기물을 태워버린다. 드론이 삽시간에 천장에 몰려들기 시작했다. 그들은 밋밋한 차지붕을 다 뜯어내고는 마약을 실어 나르기 시작했다.

나는 서둘러 서랍에서 총을 꺼내었다. 마지막 수단이었다. 하지만 그 순간 나는 이상함을 느끼기 시작했다. 오한이 들더니 이내 고통이 사라졌다. 환희와 행복감이 눈앞에 펼쳐졌다.

아들이 보였다. 푸른 초원과 눈부신 하늘. 파도 소리 요란한 바다. 아들이 결코 보지 못한 투명한 푸르름이 끝도 없이 나타났다.

나는 먼지처럼 가벼워졌다. 페가수스처럼 풀풀 날기 시작했다.

내 앞에 고추를 넣은 파파야 샐러드와 파넹 소스를 얹은 쇠고기 요리가 갑자기 펼쳐졌다. 책에서만 보았던 그 맛 나는 음식들…. 나는 연미복을 입고, 붉은 드레스의 아내를 사랑스러운 눈길로 바라봤다. 정갈하고 환한 천국이었다.

언제나 해맑은 당신의 미소에 키스했다. 모든 것은 정오의 햇살처럼 밝고 반듯했다. 싱그러움이 여름의 정원을 덮었고, 의기충천한 산들 바람이 살아 있음을 축복해 주었다.

내가 보내는, 당신을 향한 사랑의 메아리가 언젠가는 행복으로 돌아 오리라고 굳게 믿었다.

Chopin - Nocturne

음악, 상념

Chopin - Nocturne in C Sharp Minor (No. 20)

어디를 가나 폐허였다.

더럽거나 무질서하거나 거칠거나 황량하였다.

절망과 고통이 세상의 전부였다.

죽은 이의 악취와 살아 남은자의 악행이 곳곳에 스며들고 깃들여 있었다. (<릴리안 나리>의 <호모 사피엔스 기록> <대멸종 편> 84장 13절)

임마누엘은 진동을 느끼고 눈을 떴다.

무너진 벽돌, 낡은 선반 위로 먼지가 피어오른다.

뒤이어 '쾅' 하며 폭음도 들려왔다.

그는, 벽에 붙은 간이침대에서, 낡은 모포를 세차게 젖히며 벌떡 일어났다.

그는 멀지 않은 곳이라는 것을 직감했다.

두려움이 그를 휘감았다.

그는 휘청거리며 몸을 맞은편 벽 쪽으로 붙였다.

긴장과 공포가 뒤섞인 어두움이 그의 발에 걸려있다.

늘 겪는 일이지만 언제나 익숙하지 않았다.

다양한 기계음 소리.

가까이 혹은 멀리서 들려오는 산발적인 폭발음.

그는 경험으로 이 상황을 이미 알고 있다.

'드론의 침공'

그 순간, 깨진 유리창으로 광풍이 차가운 소음과 함께 세차게 몰려
왔다.

뒤이어 진한 화약 냄새가 삽시간에 공간을 메웠다.

그는 아주 가까이에 그것이 있음을 인지했다.

그는 머리를 천천히 최대한 낮게 숙이기 시작했다.

먼지 나는 바닥에 코가 거의 닿을 때까지. 메스꺼움이 욱하고 올라
왔다.

하지만 참아야만 했다.

그는 숨을 천천히 내 쉬며 차가운 시멘트 바닥에 거의 일자로 드러
누웠다.

드론의 비행 소리가 점점 크게 다가왔다.

거친 회오리바람이 성긴 천으로 된 옷을 뚫고 그의 피부를 따갑게
긁어대기 시작했다.

하지만 그는 미동도 하지 않았다.

시선은 차가운 바닥에 고정하였다.

감히 고개를 들 수가 없었다.

그는 모든 감각을 총동원하여 드론의 위치를 감지하려 애썼다.

보이지는 않지만 느낄 수 있는 존재.

그것이 점점 가까이 접근했다.

소음과 바람이 그를 집어삼킬 듯 할퀴기 시작했다.

그는 숨을 멈추었다.

약간의 움직임에도 드론의 총구가 사정없이 그에게 발사될 것이기 때문이었다.

붉은 광선이 그의 몸을 훑으며 한동안 머물렀다.

가슴에 강한 압박이 몰려왔다.

한 모금이라도 숨을 내쉬는 순간, 살상 드론은 증가한 CO_2의 미세한 양을 감지하고, 그를 <아직 생존한 육지 인간>으로 판단할 것이다.

그는 점점 심한 고통을 느끼기 시작했다.

참을 수 없을 만큼.

The Windmills of Your Mind

음악, 상념

구골(Googol). 10의 100제곱을 가리키는 숫자. 즉, 1 뒤에 0이 백 개 달린 수.

10,000,000,000,000,000,000,000,000,000,000,000,000,000,0 00,000,000,000,000,000,000,000,000,000,000,000,000,000,0 00,000

하지만, 구골은 블루마인드(BlueMind)라는 인공지능(AI, Artificial Intelligence)을 개발한 기업으로만 사람들의 뇌리에 박혀있다.

시작은 가벼웠다.

게임이나 엔터테인먼트 영역에서 인간과 자웅을 겨루는, 다소 이벤트적인 시합이 펼쳐졌다.

<구골 블루마인드 챌린지 대회> 첫 작품은 <오메가바둑>이었다.

당시 세계챔피언 이창오와 7연전이 벌어졌다.

아슬아슬하지만 인간이 4승 3패로 승리를 가져갔다.

세상의 이목을 끌기 시작했다.

다음은 푸르가엔터테인먼트(Purga Entertainment)에서 출시한 실시간 전략 게임, 문크래프트(MoonCraft) 였다.

세계 랭킹 1위 이요한과 펼친 5연전은 폭발적인 시청률을 기록했다.

<오메가문>은 전방위적으로 인간 대표를 압박하며 전승을 거두었다.

사람들은 열광했다.

기업은 핵심 프로세스와 비즈니스 모델로 머신러닝 도입을 서둘렀다.

거의 모든 대학이 신경과학(neuroscience) 학과를 개설했다.

놀라운 신경망 네트웍, <블루 알 네트웍 (Blue R-network)>이 구축되었고, 범용 학습 알고리즘에 근거한, 지각과 인지, 비전 시스템의 혁신 기술이 속속들이 세상에 선보였다.

세상은 이제 인공지능이 제시한 장밋빛 미래에 푹 잠겨있었다.

****

블루마인드의 공동 창업자이자 책임 연구원인 쉐임 암스 (Shame Arms) 박사는, 만삭의 아내를 사랑스러운 눈길로 쳐다봤다.

"내 손끝에서 우리 아들이 누릴 멋진 세상이 펼쳐질 것이오." 그는 보름달처럼 부푼 아내의 배를 부드럽게 쓰다듬었다.

"AI가 탑재된 드론이 하늘을 가득 채우게 될게요.
그들은, 창조주인 사람을 위해 자신이 무엇을 봉사해야 하는지를 스스로 터득하게 될게요."

하지만 아내는 슬픈 표정을 감출 수 없었다.
"저는 그저 AI가 사람을 닮지 않기를 바랄 뿐이에요.
인간은 너무 폭력적이잖아요."

조수미 - 나 가거든

음악, 상념

극한의 고통이 그를 휘어잡았다.

곧 터져버릴 숨이 그의 오장육부를 쥐어짜고 있었다.

의식이 사라지고 환각이 찾아왔다.

임마누엘 암스는 어머니의 눈길이 느껴졌다.

한없이 투명에 가까운 푸른 눈동자에 서린 알 수 없는 슬픔이 먼지로 흩날렸다.

이윽고 드론이 천천히 그의 곁을 찾아왔다.

총구 옆에는 은빛으로 반짝이는 명판이 선명하게 새겨져 있었다.

"Googol"

그는 마지막으로 아버지를 생각했다.

그리고 마침내 그를 휘감던 공포를 덜어내는 절망감속으로 뛰어들었다.

"푸우우…"

그는 모든 것을 체념한 듯 아주 길게 숨을 내 뱉었다.

하지만 그것 뿐이었다.

그를 향하던 드론의 총구가 멈칫 하더니 서서히 몸체 속으로 들어 갔다.

뒤따라 들어오던 다른 드론의 총구도 더 이상 그를 겨냥하지 않았 다.

오히려 굉음과 지독한 먼지를 일으키며 드론은 그의 곁을 서서히 물 러났다.

그는 이해할 수 없는 작금의 현실에 넋이 나간 듯 한동안 누워있었 다.

그리고 모든게 사라졌다.

바람소리만 선명하였다.

기계 소음이 사라지니 자연이 내는 멜로디가 다가왔다.

그는 일어나 천천히 걸음을 뗐다.

발 끝에 먼지가 일었다.

그는 최대한 생각을 아끼려고 하였다.

널부러진 잔해가 침묵속에 누워있다.

이렇듯 허망하게, 아무것도 아닌 세상이 될 줄 진작에 알았다면, 아 귀처럼 탐욕스런 삶을 인간이 살았을까?

그의 표정과 생각은 점차 두꺼운 베일 속으로 빨려드는 듯 하였다.

깨진 벽돌과 잔해 사이로 통로처럼 누군가 다녀간 길들이 이어졌다.

그는 최대한 주위를 살피며 천천히 앞으로 나아갔다.

바람속에 비닐과 먼지, 잡초가 휩쓸려 떠다녔다.

그렇게 이 거대한 죽은 도시를 홀로 지나갔다.

적어도 살아 숨쉬는 것은 그와 날파리 뿐인 것 처럼 보였다.

인간은 이미 알고 있었다.

종말이 오기 전부터 이미 이러한 사실을 주지하고 있었다.

삶은 고통의 다른 이름인 것을.

저 너머 가물가물한 아지랑이 속으로 그의 미래가 꼼지락거리며 모습을 드러냈다.

끝없는 고통이 예정된 내일.

그는 소름끼치게 도 너무 많은 학살을 보고 말았다.

오싹하고 끔찍하거나 더럽고 추악한 풍경이 온 세상에 늘린 것이다.

살아남기 위한 환멸이 서서히 그를 휘어 잡았다.

그는 천천히 그의 배낭에서 비닐 봉지를 꺼냈다.

그리고 한 주먹의 분말 크리스탈을 움켜쥔 뒤 입속에 털어 넣었다.

그리고 수통의 물을 꿀꺽꿀꺽 삼켰다.

그리고 조용히 눈을 감고 드러 누웠다.

NOVELIST

NAM
KING

그레고리

블라디의

묘한 죽음

남킹

남킹 컬렉션 #이

남킹 컬렉션 #002

거짓과 상상 혹은 죄와 벌

남킹 장편소설

신의 땅
물의 꽃

남킹 장편소설

남킹 컬렉션 #003

심해
DEEP SEA

남킹 SF 장편소설

남킹 컬렉션 #004

남킹 컬렉션 #005

당신을 만나러 갑니다

남킹 사랑 이야기

블루 드래곤
744

남킹 대본집

남킹 컬렉션 #006

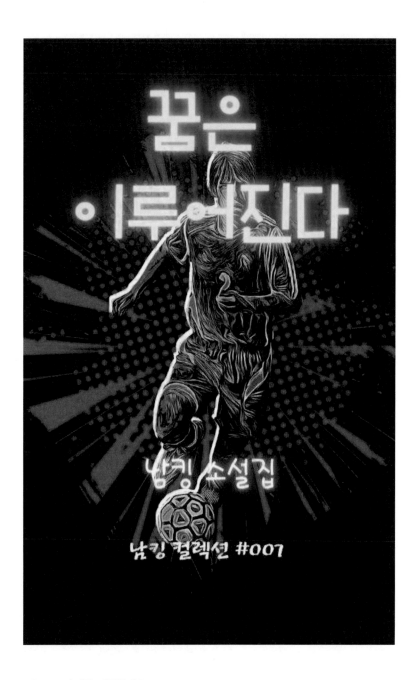

파벨 예언서

떠오르는 위협

남킹 장편소설

남킹 컬렉션 #008

떠날 결심

남킹 미니픽션

남킹 컬렉션 #009

리셋
Reset

남킹 SF 소설집

남킹 컬렉션 010

남킹 컬렉션 #011

1월의 비

남킹 감성 소설집

남킹 컬렉션 #012

남킹의 문장 1

언어의 마법사 남킹의 문장들

남킹 컬렉션 #013

남킹의 문장 2

언어의 마법사 남킹의 문장들

남킹의 문장

3

언어의 마법사 남킹의 문장들

남킹 컬렉션 #014

남 킹 판타지 소설집

하니은 매화

남 킹 컬렉션 #015

남킹 컬렉션 #16

남킹의 문장
4

남킹 컬렉션 #017

스네이크 아일랜드

1권

죽고싶지만 복수는 하고 싶어

남킹 판타지 스릴러

남킹 컬렉션 #018

천일의 여황제

세빈의 남자

남킹 판타지 소설

남킹 컬렉션 #019

이방인

남킹 장편소설

거리를
비워두세요

남 킹 음 악 에 세 이

남킹 컬렉션 #020

사랑 그 쓸쓸함
에 대하여

남킹 음악산문

남킹 컬렉션 #021

남킹의 문장 1

브런치 스토리

남 킹

남킹 컬렉션 #022

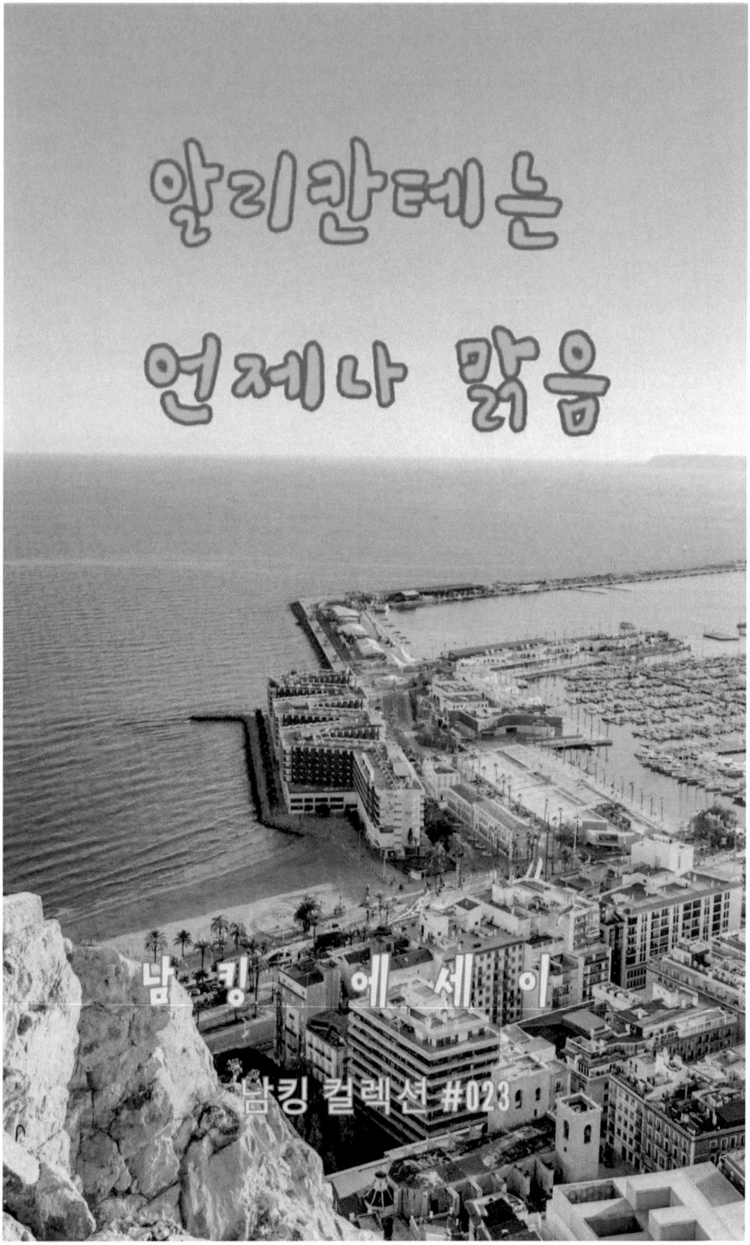
알리칸테는
언제나 맑음
남킹 에세이
남킹 컬렉션 #023

길에 내리는 빗물

남 킹 소 설 집

남킹 컬렉션 #024

서글픈 나의 사랑

남킹 장편소설

남킹 컬렉션 #025

남킹 SF

소설집

브런치 스토리

남킹 컬렉션 #026

브런치 스토리

남킹 사랑 소설집

남킹 컬렉션 #028

남킹 스토리

브런치 스토리

남킹 컬렉션 #029

남킹 스토리 2

브런치 스토리

남킹 컬렉션 #030

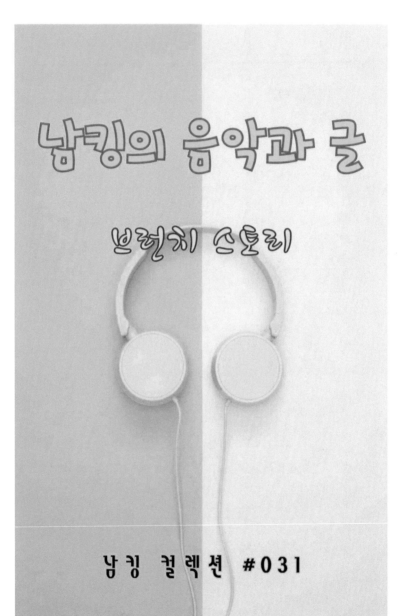

남킹의 음악과 글

브런치 스토리

남킹 컬렉션 #031

남킹 이야기

브런치 스토리

남킹 컬렉션 #032

눈물이 당신의
볼을 타고
브런치 스토리

남킹 컬렉션 #033

시시포스

브런치 스토리

남킹 소설집

남킹 컬렉션 #034

남킹 장편소설
미리보기

거짓과 상상 혹은 죄와 벌

그리고 리홀라디의 표한 죽음

신의 땅 불의 꽃

심해

천일의 여황제

이방인

파벨 예언서

스네이크 아일랜드

남킹 컬렉션 #035

죽이고 싶지만
섹스는 하고 싶어

남킹 범죄 소설집

남킹 컬렉션 #036

거리를 비워두세요

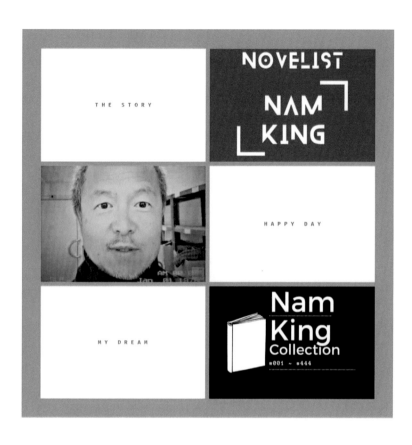

거리를 비워두세요

남킹 컬렉션 #011

1월의 비

남킹 감성 소설집

거리를
비워두세요

남킹 음악 에세이

남킹 컬렉션 #020

리셋
Reset

남킹 SF 소설집

남킹 컬렉션 010

거지와 상상 혹은 죄와 벌

남킹 장편소설

남킹 컬렉션 #002

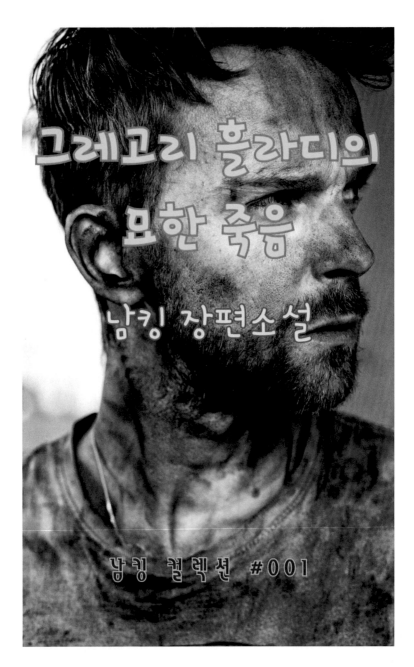

그레고리 흘라디의
묘한 죽음

남킹 장편소설

남킹 컬렉션 #001

길에 내리는 빗물

남 킹 소 설 집

남킹 컬렉션 #024

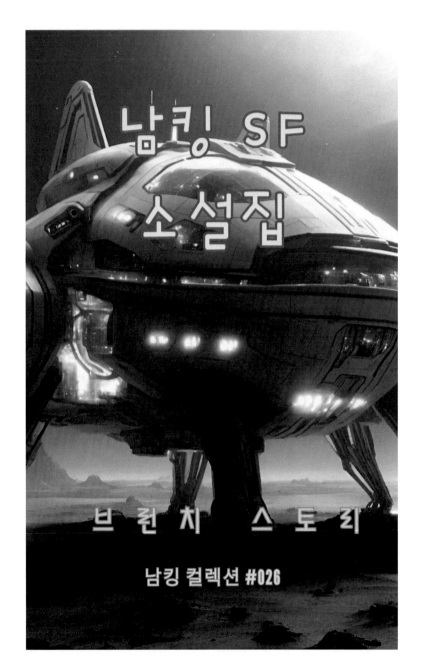

남킹 SF
소설집

브런치 스토리

남킹 컬렉션 #026

브런치 스토리

남킹 사랑 소설집

남킹 컬렉션 #028

남킹 스토리

브런치 스토리

남킹 컬렉션 #029

남킹 스토리 2

브런치 스토리

남킹 컬렉션 #030

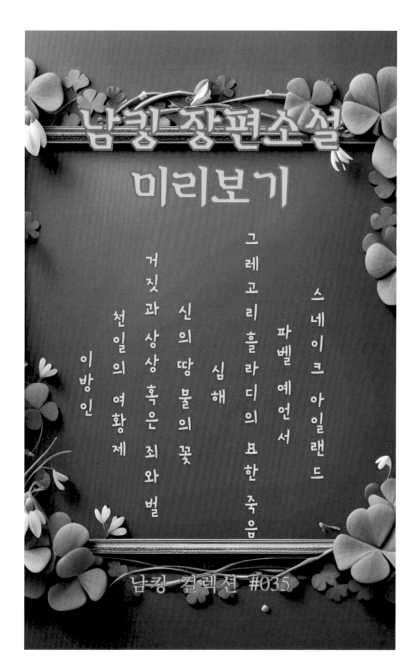

남킹 장편소설

미리보기

스네이크 아일랜드

파벨 예언서

그레고리 흘라디의 묘한 죽음

심해

신의 땅 물의 꽃

거짓과 상상 혹은 죄와 벌

천일의 여황제

이방인

남킹 컬렉션 #035

남킹 컬렉션 #012

남킹의 문장 1

언어의 마법사 남킹의 문장들

남킹의 문장 1
브런치 스토리

남 킹

남킹 컬렉션 #022

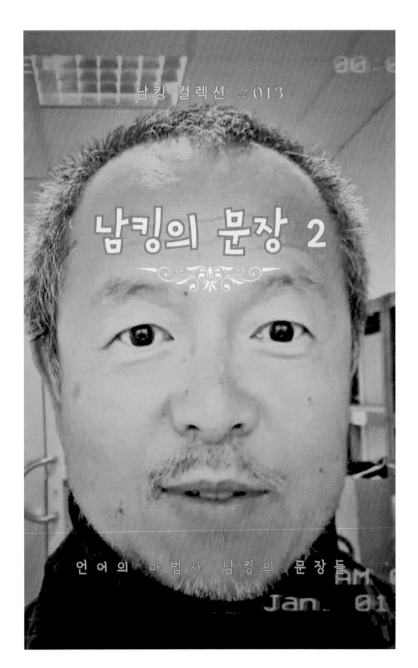

남 킹 컬 렉 션 #013

남킹의 문장 2

언 어 의 마 법 사 남 킹 의 문 장 들

남킹의 음악과 글

브런치 스토리

남킹 컬렉션 #031

눈물이 당신의
불을 타고

브런치 스토리

남킹 컬렉션 #033

버스 민페녀

남킹 슬픈 이야기

남킹 컬렉션 027

소설집

블루 드래곤
744

낭킹 시나리오
OE-LBF

낭킹 컬렉션 #006

사랑 그 쓸쓸함
에 대하여

남 킹 음 악 산 문

남 킹 컬렉션 #021

서글픈
나의 사랑

남킹 장편소설

남킹 컬렉션 #025

남킹 컬렉션 #017

스네이크 아·일랜드

죽고 싶지만 복수는 하고 싶어

남킹 판타지 스릴러

시시포스

브런치 스토리

남킹 소설집

남킹 컬렉션 #034

신의 땅 물의 꽃

남킹 장편소설

남킹 컬렉션 #003

신의 땅 물의 꽃

남킹 장편소설

남킹 컬렉션 #003

심해

남킹 장편소설

남킹 컬렉션 #004

심해

남킹 장편소설

남킹 컬렉션 #004

알리칸테는
언제나 맑음

남킹 에세이

남킹 컬렉션 #023

남킹 컬렉션 #019

이방인

남킹 장편소설

거리를 비워두세요

파벨 예언서

떠오르는 위협

남킹 장편소설

남킹 컬렉션 #008

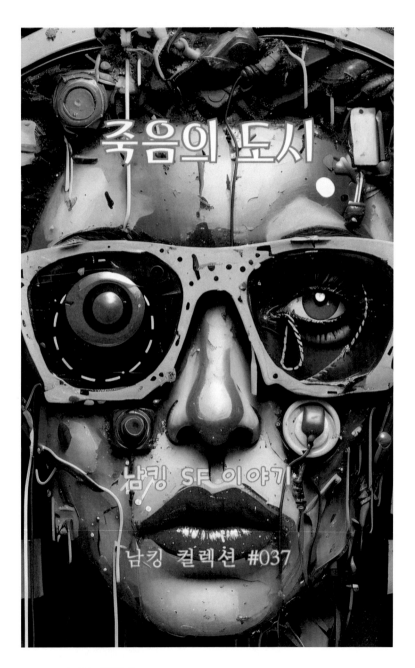

죽음의 도시

남킹 SF 이야기

남킹 컬렉션 #037

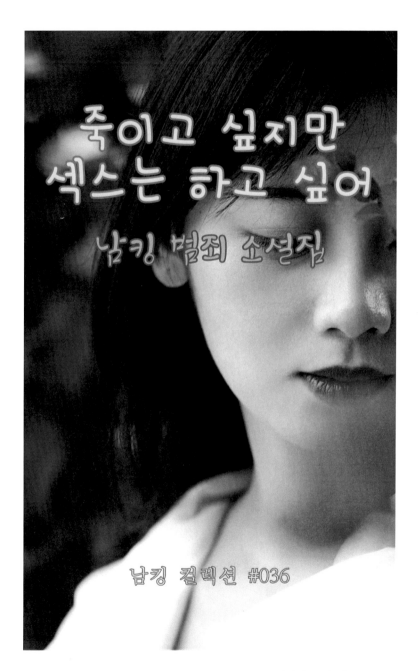

죽이고 싶지만
섹스는 하고 싶어

남킹 범죄 소설집

남킹 컬렉션 #036

남킹 컬렉션 #018

천일의 여황제

세빈의 남자

남킹 판타지 소설